WAC BUNKO

いい加減にしろ！

岩田温

WAC

はじめに

「時代には時代に応じた媒体がある」。これが私の信念です。

大学の教員をしていたとき、ユーチューバーになることを決意しました。「大学の教員がユーチューブをはじめるなんて……」との批判もありましたが、全く意に介しませんでした。研究することが大切なのはいうまでもありませんが、世の中に自分自身の意見を発信していくことも大切です。象牙の塔に籠って悦に入っているような学者は無用の存在でしょう。そうであるならば、多くの人が視聴しているユーチューブの世界に参入してこそ、現代の言論人だという確信がありました。言い訳を言いながら、自分の意見を言わずに逃げてまわっているような卑怯な学者の仲間入りするつもりはありません。

本書は「岩田温チャンネル」の中から、幾つかの動画をピックアップし、大幅に修正を加えました。世にはびこる不条理、馬鹿馬鹿しさ、愚かしさを斬って、斬って、斬りまくっています。過激だと思われる方もいらっしゃるかもしれません。しかし、地上波のニュース番組のようなお上品で、「リベラル」な内容は、端的に言って下らないのです。害悪でしかありません。テレビとは、ほとんど馬鹿製造機になってしまっています。テレビを観れば観るほど頭が悪くなります。「どうしてこの人は頭が悪いんだろう?」と思ったら、テレビの視聴時間が長いのだと解釈しておけば、ほとんど間違えません。

「ネット右翼」という中傷があります。大多数の国民がネットを使う次代に、「右翼」ではなく「ネット右翼」と呼ぶのはおかしな話です。「ネット右翼」とは、そもそも悪しき存在だという前提で語られていますが、「ネット右翼」で何が悪いのか、理解に苦しみます。

他人のことを「ネット右翼」だと批判している人たちの多くは、テレビを盲信しています。いちいち番組名を挙げるのは気の毒ですから、名前は挙げませんが、サンデー・モーニングや報道特集、こういった番組をみて、極めて偏った内容を真実だと鵜呑みにしているのです。他人を「ネット右翼」と非難する前に、自分自身が「テレビ左翼（テレサヨ）」ではないかと反省すべきでしょう。本書は、そうした馬鹿馬鹿しいテレビなど観ていられないと感じている方々を対象にして書いています。言い換えるならば、日本国民としての常識を持っている方々を対象とした本なのです。

敢えて言いましょう。下らないテレビ番組を観て喜んでいる大衆に本書を読む資格などありません。本など読まずに、地上波を観て洗脳されていればいいのです。自分自身が愚かであると気づかずにボンヤリと「リベラル」ごっこをしていればよろしい。本書ではそういった面々が有り難がっている人々を批判の対象にしています。

「ＬＧＢＴを応援している私って、いい人なの！」

「池上彰さんの番組を観て勉強しています！」

「日中友好って素敵！」

こんな人が本書を読めば、ぶっ倒れてしまうかもしれません。毒にも薬にもならないようなお上品な本を目指していません。時には猛毒、時には特効薬になるような内容の本です。最近、「岩田さんは口が悪いですね」と言われます。昔から口が悪いと思っているので、何を今更としか思いません。でも、改めて考えてみると、私の口が悪いのでしょうか？

本書で批判の対象に挙がっている人々の行いが余りに悪すぎるのではありませんか？悪人の悪事を暴き、批判するときにお上品でいられるものなのでしょうか？

こいつら、いい加減にしろ！　結論は、そういうことになります。

立派に生き、祖国の為に粉骨砕身した先祖があってこそ、今の日本があります。我々も将来の世代に日本を引き渡していく義務があります。我々の世代で、日本を少しでもいい形にして、将来世代に繋いでいく。これが保守主義の精神です。

別にイギリスの保守主義の例を出すまでもなく、我が国では昔より実践されていたことです。内村鑑三の『代表的日本人』の一人に選ばれている名君に上杉鷹山（ようざん）がいます。ケネディ大統領が尊敬する日本人として挙げたのは、上杉鷹山でした。鷹山は保守主義の精神を体現するような言葉を遺しています。鷹山が藩主を引退する際、「伝国の辞」という教えを次代の藩主に伝えます。その冒頭には次のように書かれています。

「国家は先祖より子孫へ伝え候（そうろう）国家にして我私すべき物にはこれなく候」

国家は先祖から子孫に伝えていくものであり、決して自分たちのものだと勝手放題をしてはならないという教えです。素晴らしい教えでしょう。エドマンド・バークを参照しなくても、日本には日本の保守主義が存在しているのです。

こうした健全な保守主義の精神が日本から消滅しそうになっているのが現状です。今生きている我々が好き勝手にやって構わないのだとの風潮がまかり通っています。ＬＧＢＴ理解増進法はその典型的な事例ではありませんか？「トランスジェンダーを理解せよ！」といいますが、科学的にもほとんど分かっていないことを理解することなど出来るのでしょうか？「自分は男である」、「自分は女である」。自分が認めたら他人もそれを認めろ。これが性自認主義の本質です。

「あ、今日は男の気分」「何となく女なのよ」。こんな性自認主義を是とすることが許容されるべきなのでしょうか。実際にトランスジェンダーで苦しんでいる人がいるのは事実です。しかし、トランスジェンダーを自称する変質者も出てくるでしょう。「私は心が女性なのです」と叫んでいる人に「実際は違うだろう」といってみても、これは水掛け論で終わります。誰も他人の心の中をのぞくことは出来ないのです。

圧倒的大多数の女性の権利を蔑ろにするようなおかしなイデオロギーが自民党内部にも蔓延していきます。こういう連中を批判する際に、お上品であることなど出来ません。おい！いい加減にしろ‼　と叫びたい気持ちになるのが正直なところです。

日本をよくしようとの常識が失われ、とにかく勝手放題にやってやるんだという個人主義が肯定されています。このままでは次世代に日本を引き渡していく以前に、日本という国家が滅びてしまうのではないか。そんな暗い気持ちになってきます。

岸田総理率いる自民党が腐りきってしまっているのは明らかですが、野党はさらに酷い。立憲共産党など論外としか言いようがありません。維新の会をみても、ロシアに媚びへつらう鈴木宗男や闘うウクライナ国民に水を差す橋下徹の影響力がまだまだ強く、保守政党とは言いがたい状況です。

救いとなるのは、日本国民の常識です。正気を失った「リベラル・ファシスト」たちの無茶苦茶な主張を「おかしい！」と批判できる国民の常識が何よりも必要とされています。

　本書ではＬＧＢＴ理解増進法のおかしさから自称ジャーナリストの電波芸人・池上彰の偏向、軍拡を続ける中国に媚びる政治家等々を名指しで批判しています。ユーチューブでは説明できなかった部分をより丁寧に解説していますので、既に番組をご視聴いただいた方々がお読みになっても、楽しめる内容になっているはずです。

　是非、皆さんも「岩田温チャンネル」にご登録ください。まだ登録者が15万人程度の弱小番組ですが、将来的には１００万人登録を目指しています。テレビ朝日、ＮＨＫよりも影響力の大きな番組を個人で作りたいとの野望を抱いております。「テレビの時代を終わらせる」ことが何よりも日本のためになると信じて止みません。

「書を捨てよ町へ出よう」と説いたのは寺山修司でした。私は「テレビを捨てよ、スマホでユーチューブをみよう」と訴えたい。若い世代ではテレビを観ない人々が本当に増えてきています。ここに日本の希望があります。これまで日本国民を左へ左へと誘ってきたテレビが終わる日は近いのです。

テレビ左翼ども、いい加減にしろ！

２０２３年8月

岩田　温

いい加減にしろ！

目次

装幀／須川貴弘（ＷＡＣ装幀室）

第１講　自民党が保守政党であることをやめた日

岸田内閣はなぜＬＧＢＴ理解増進法案成立を急いだのか

ＬＧＢＴ理解増進法がついに成立しました。私だけでなく、良心的な保守派の人たち、常識ある人々、産経・読売など保守系の新聞が、あれほど反対したにもかかわらず――。

ご存じのとおり、「ＬＧＢＴ」というのはレズビアン、ゲイ、バイセクシュアル、それに生まれつきの自分の性と心が一致しないトランスジェンダーの頭文字を取った略称です。そうした人たちへの差別をなくし、理解を深めようというのがＬＧＢＴ理解増進法の趣旨ですが、差別はいけないと言われて反対する人なんていやしません。それに、理解を深めようと言われても、そもそも「ＬＧＢＴって何だ。新手（あらて）のＫ-ＰＯＰグループか」と首をかしげる人もいるだろうし、そんな法律ができたことも知らなかったという人もいるのでははないでしょうか。

そこで、この法案が提出されて可決されるまでの流れと問題点を確認しておくために、産経新聞２０２３年6月19日付「ＬＧＢＴ法成立　女性を守る新法の策定を」と題した社説「主張」を引用してみます。

〈**ＬＧＢＴなど性的少数者への理解増進法が、参院本会議において賛成多数で可決し、成立した。欠陥の多い悪法であり極めて残念だ。このままでは、女性を守ることが難しい。国会では、衆参両院の内閣委員会で１日ずつ審議しただけだ。議論不足も甚だしい。**〉

ここまでケチョンケチョンに言われる法律もあまり見たことがありません。「欠陥の多い悪法」であり、成立したことが「残念」とまでいわれています。さらに、岸田総理が大好きな「検討に検討を重ねて」出来た法案ではなく、議論不足であるとも指摘されています。

この法では「ジェンダー・アイデンティティ」なる言葉が使われています。具体的に言うと「ジェンダー・アイデンティティを理由とする不当な差別はあってはならない」と定められました。

しかし、そもそも「ジェンダー・アイデンティティ」とは何を意味するのでしょうか？

今まで、「ジェンダー・アイデンティティ」などという言葉を聞いたことがあった人はどれくらい存在するのでしょう？　まして、「私のジェンダー・アイデンティティは……」とまで考えた人など、本当にごく少数ではないでしょうか。

「ジェンダー・アイデンティティ」の具体的な事例が明示されていないので、推察するしかありません。東京大学教授の宇野重規は朝日新聞でこの訳語の背景には「自らの性を選ぶ」という「基本的理解」があると論じています。ここから見えてくるのは、「自分は男である」「自分は女である」との決定は自分自身で下して構わない、という発想です。

極端な話をすれば、「私は女です」と主張すれば、傍からはどうみても男にしか見えない人物も女性として扱われるべきだ、ということになります。

さらに問題を複雑化しているのが「差別」という言葉です。「不当な差別はあってはならない」といいますが、どのような行為が「差別」にあたるのかが全く分からないのです。例えば、生物学的には男性で「私は女である」と称している人物に危害を加えてはならないというのならば、理解可能です。どのような主張をしている人物に対してでも、暴力を働くことは許されることではないからです。支持政党が社民党であろうが、共産党であろうが、そうした相手に暴力を振るうことは許されません。私自身、社民党も共産党も蛇蝎（だかつ）の如く嫌っていますが、こういうおかしな政党を支持する自由もあります。「隣家に共産党のポスターが貼ってあったから、焼き討ちしてやりました」との主張は認められません。生物学的に男性である人間が「私は女性だ」と主張しても暴力を行使することは絶対に許されません。

しかし、差別となってくると話が異なってきます。差別とは具体的な行動ではなく、心の問題も関わってくるからです。私などは駅でビラを撒いている共産党員を見ると「とんでもない連中だ！」「この馬鹿野郎！」「ふざけるな！」などと思います。未だに全体主義を夢想するクレイジーな人々だとの思いが込み上げてくるのです。しかし、だからといって、暴力行為に及んだり、罵声を浴びせることもありません。「うっとうしい連中だ」とは思いますが、黙って通り過ぎていきます。ただし、目つきはよくないかもしれません。汚らわしいものをみるような目つきで共産党員を眺めているかもしれません。この場合、私の心の動き、目つきは「不当な差別」にあたるのでしょうか。心の中では明確に共産党員を蔑（さげす）んでいますから、差別と言えば差別です。目つきも悪いかもしれない。

しかし、それは私の心の動きであって、具体的に何か法を犯すようなことはしていない。

こうした差別意識まで持つなというならば、それはもはや政府が他人の心の中にまで干渉してきていると言わざるを得ない。他人の心の中にまで介入することがあってはならないのが、リベラリズムの原則だとするならば、自由主義の原則を破壊するような行為に政府が加担するのは間違いです。

だからこそ、産経新聞でも次のように主張しているのです。

〈（この法では）「ジェンダーアイデンティティーを理由とする不当な差別はあってはならない」と定めている。しかし、差別の定義ははっきりとせず、女性だと自称する男性が女性専用スペースに入ることを正当化しかねないという懸念は、依然払拭されていない〉

そうです。「私は女性なの」と主張する男性が女子トイレや女風呂に入ってこようとする際、「入らないでください」と断った場合、これが「不当な差別」にあたる可能性が否定できないのです。

また、今回のＬＧＢＴ法の制定に関して、大きな影響力を行使した外国人がいます。エマニュエル米駐日大使です。この問題についても産経新聞は的確に批判しています。

〈成立の過程で、エマニュエル米駐日大使がＬＧＢＴ法制定を促す言動を取ったのは、内政干渉であり、看過できない。性自認に特化した法律は先進７カ国（Ｇ７）には存在しない。連邦レベルで米国にも存在しない法律を他国に求めるのは、容認できない〉

これははっきり言ってエマニュエル大使によって「内政干渉」されているのです。我々はアメリカの属国ではありません。主権を有する独立国家です。独立国家の内政に、ここまで露骨に介入してくる不良外国人を許すべきではありません。

例えば、アメリカが防衛上の問題で日本に問題提起してくるのならば、話は別です。「日本に機密情報を届けると翌日には中国に情報が漏洩(ろうえい)してしまう。スパイの存在を取り締まる『スパイ防止法』を制定してもらわなければ、機密情報を伝えられない。同盟国として、このような体制では危険である」との問題提起は真剣に受け止める必要があるでしょう。

しかし、今回のＬＧＢＴ法は純然たる内政問題です。このような問題に口を出す権利はアメリカの大使といえどもありません。お前は幕末のペリー提督のつもりか！

そして、このような態度をとり続ける大使に対しては日本政府も毅然として反論すべきでしょう。

考えてもみてください。日本とアメリカとでは、相当程度文化の違いがあります。例えば、銃規制の問題です。

日本人からすれば、米国のように銃が容易に手に入る状態は実に物騒です。「日本もアメリカを見習って銃社会にしよう」と主張する日本人は少ないはずです。しかし、アメリカにはアメリカの伝統と文化があります。最後に自分の家族、自分自身を守るのは、自分の銃だ。銃で武装する権利は国民の権利だ。このように考える人々もけっこう多く、一定多数存在しているわけです。

日本の駐米大使が「アメリカでも銃規制法案の制定を！」などと主張すれば、内政干渉をするとんでもない輩だと思われるはずです。

エマニュエルの内政干渉の異常さは、日米の立場を替えてみれば明らかです。

全体主義国家はユートピアを夢見る

次に保守主義の観点から今回のＬＧＢＴ法を考え直してみましょう。

誤解されがちですが、保守主義は基本的に変化を全面的に拒む思想ではありません。過去の伝統に絶対服従を求めるような考え方を意味しません。また、過去を懐かしがり、戻れない過去への憧れを語り続ける反動でもありません。変化を拒絶するのではなく、慎重に賢く変化を求めるのが保守主義の基本的な姿勢です。社会の変革を拒絶することせずに、変化に対しては極めて慎重であるべきだと考えるのです。

従って、社会実験のような危なっかしい提案には懐疑的になります。どうなるかわからないけど、なんでもいいから現在あるものをとにかく変えようとするのがいわゆる「リベラル」、「革新」系の発想です。「変わることはいいことだ」といった軽い発想で、とにかくチェンジ、チェンジと叫ぶ人のことを「リベラル」というのだと私は考えています。

たとえば、「フランスは王政だからだめなんだ」と短絡的に考えて、「どうなるのかはわからないが、一度ぶっ壊してみよう」との発想でなされたのがフランス革命です。日本の教科書では殆ど書かれていませんが、フランス革命とは大量の血が流された血塗られた革命なのです。このような革命を起こそうとする乱暴な人たちこそが「リベラル」です。

多くの人が困っている、あるいは今のままでは国や社会が危ういというときには、変化が求められます。これは当然のことです。何も変えることなく、「座して死を待つ」のは保守主義とは全く異なります。それは保守ではなく単なる馬鹿でしょう。ただし、変えることでどんなマイナスが生じるかを慎重に吟味したうえで、思い切った変革をするのが保守主義です。

ＬＧＢＴ理解増進法の問題一つ取り上げてみても、その弊害を真剣に考える国民や女性の懸念が払拭されていない状態でした。つまり、マイナス面についての吟味が終わっていなかった。こうした状況で法案を強引に提出するのは、少なくとも保守を自認する自民党のやり方ではありません。自民党内でも反対派が多く、党議拘束をかけることに不満が続出していた。党議拘束をかけられながらも、欠席、退席した議員もいました。

退席した山東昭子前参院議長が語っていた言葉が印象的でした。

「こんな生煮えの状態ではなく、きちんとした形でやっていかなければならない」

その通りです。丁寧に議論を尽くすこともなく、不安に感じている国民の説得を試みることもなく、「変えることはいいことだ」とばかりに、いきなり社会の大改造を行おうというのですから、保守政党のやり方ではありません。一体、いつから自民党は保守政党の看板を下ろしたのか、極めて疑問です。

「理解」という名の「干渉」

私はもちろん、性的マイノリティの人たちに対する差別には反対です。とくに、トランスジェンダーの人たちが苦しんでいることを否定するつもりはまったくありません。自分の中の心と性が一致しないという問題は古くからあります。

法務省の『令和4年版　人権教育・啓発白書』には、

〈性自認（性同一性）とは、自己の性をどのように認識しているのかを示す概念である。生物学的な性と性の自己意識とが一致しない人々は、社会の中で偏見の目にさらされ、昇進を妨げられたり、学校生活でいじめられたりするなどの差別を受けている〉

とあります。

だからといって、人々の「性自認」を100％認めてしまっていいのか。そこが問題です。それを一気に進めると社会が混乱するだけではないでしょうか。産経新聞5月12日付の「主張」は次のように注意喚起をしています。

〈人の内心は分からない。申告により性を決める「性自認」は、極めて危うい結果をもたらす恐れがある。男性が、自身は女性だとして女子トイレや女湯に入った場合、混乱が予想される。カナダでは4月、トランスジェンダーを自称する男が女性施設に入り、女性に性的暴行を加えた疑いで逮捕される事件が現実に起きた〉

海外では、実際にこういう事件が起こっているわけです。しかし、「いやいやそんなことは起こらない」と稲田朋美さんは主張しています。

「女風呂と男風呂は身体的特徴で区別するということであって、心が女性で体が男性の人が女湯に入ることはない」

なぜ断言できるのか不思議ですが、その次にはこんな文言が…

「当たり前ですが、犯罪者は想定していません」

犯罪行為が起こらないよう議論に議論を重ねていくのが健全な民主主義であり、保守主義の精神でしょう。こんなに拙速に法案を通しておいて、何らかの事件が起きたら責任を取れるのでしょうか。

「全ての国民が安心して生活ができるよう、留意する」という条文を追加したと言いますが、それだけで女性が安心して女性専用施設を使えると本気で考えているんでしょうか。

橋本岳という自民党の議員がブログに大変なことを書いています。故・橋本龍太郎元総理大臣の息子さんですが、それを読むとガクッときますよ。さすが橋本岳（がく）というだけあります。

彼は、国民の理解が進めば、身体的には男、「性自認」は女というトランスジェンダーの人が女湯に入ってきても、女性たちは「キャーッ！」と叫ぶこともなく、慌てず騒がず、「ああ、あの人はトランスジェンダーなんだな」と思うだけの社会になるって言っているんです。国民はそんな社会を望んでいるのでしょうか？

これ、立憲民主党の「小川淳也式発想法」と同じです。小川さんと一緒にアベマ・プライムに出演した際、小川さんは興奮した口調でまくし立てていましたが、その内容は空疎。「一言で言ってください」と言われても、一言で言えない。国民の理解が足りない云々といってきたので私はいいました。

「国民に説教するような政治家は嫌われますよ」

「嫌われたっていい。嫌われても私はやる」

「国民に嫌われていたら、与党になれないんだから、何も出来ないでしょう」

「国民は愚かだから、エリートである私たちが導いてやる必要がある」という発想を政治家や官僚が過度に抱くのは、社会にとって危険の印とみて間違いありません。

橋本さんは、小川さんほど露骨ではありません。文章も下手ですが、丁寧に書こうと努力しているように見受けられます。ただし、ＬＧＢＴについて国民の理解を増進させようとの発想には危険な匂いを感じます。

「国民は愚かで差別的な偏見に満ち溢れているから、啓蒙しなくちゃいけない。理解が深まれば、トランスジェンダーの男性が女湯や女子トイレに入ってきても、女性は怖いとも思わなくなる。そんな社会がやってくるのさ」というわけです。

これは全体主義のやり方です。国民一人一人の価値観に政府が干渉して、「お前の考えは間違っている、あの人もこの人も間違えている。理解が足りないからだ。理解さえ深まれば、国家が推奨する価値観を怖いとは思わなくなるよ」ということでしょう。これってある種の洗脳でしょう。

価値観というのは、どれが正しい、どれが間違っているとはなかなか断言できない。いろいろな価値観があってしかるべきなんです。アサヒビールが好きな人がいて、キリンビールが好きな人がいる。この場合、どっちが正しいかなんて言えるはずがないでしょう。トランスジェンダーで肉体は男性という人が女湯に入ってきても、「まあ別にいいんじゃない」と思う女性も例外的にいるかもしれませんが、それを「怖い、いやだ」と思うのは自由なはずです。それをそう感じる人々の理解が足りないの、差別だのと批判するのはおかしいんじゃありませんか。

今回の法律が成立したことによって、たとえばトランスジェンダーの男性が女湯に入ろうとするのを従業員が拒否した場合、これを差別だとして訴える可能性が絶対にないとは言い切れない。たとえ、政府が銭湯などの女湯は身体的特徴で区別するのが妥当だとの見解を示したとしても、それこそが「不当な差別」だと主張することは可能なのですから。

そんなことが起きるんじゃないか、もう温泉旅行にも行けなくなるんじゃないかという女性の不安や疑念を払拭するのが政治の役割です。これはちょっと危ないんじゃないかという国民の懸念を無視して、「いやいや、そんなことは起こりません」というだけですませ、反対する自民党員が多いにもかかわらず、強引に採決したのは異常事態と言わざるを得ません。

ポイントはどこかといえば「人の内心はわからない」ところなんです。内心が他人にはわからないということは、内心の問題に関してはいくらでも嘘をつくことが可能であり、悪用できるということでもある。だからこそトランスジェンダーの人は気の毒なんです。

トランスジェンダーで生きづらさを感じている人たちがいる。そういう人に寄り添いたいという気持ちはわかるし、そうした思いを持つこと自体はいいことです。否定されるべきではありません。しかし、何でも法律にして、国民に価値観を強制すればいいというものではありません。

政治で何でも変えられると思うのは全体主義国家の考え方です。もちろん政治が変えられる部分もある。でも、政治は極めて限定的なんです。個人の生きづらさをいくぶんやわらげるくらいはできるかもしれませんが、すべての人を幸福にできる政治なんてあり得ません。ユートピアなんて夢物語です。そういうものを望むから全体主義国家になるんですよ。共産主義国家になれば誰もが幸せになるのか。なりません。なりっこないんだ！　政治なんかで世界中の人々すべてが幸せになれるものか。馬鹿言っちゃいけない。

　政治が良くなったからといって、それまでモテなかった人がモテるようになったりするわけがない。当たり前の話でしょう。誰だって一人ひとり生きづらさを抱えながら生きているんです。「悩みなんかない」っていう人がいたら会ってみたいですよ。

　背が低いことにコンプレックスを抱えている男もいる。逆に背が高いことにコンプレックスを抱えている女もいる。学歴や年収、あるいは容姿等々、ありとあらゆるところに生きづらさがある。そうした一人ひとりのコンプレックス、生きづらさを全て政治で変えることなんか出来るはずがない！　「全ての人を幸せにします」。そんな馬鹿なことをいう奴は政治家など辞めてしまえと言いたい。詐欺師、嘘つきの類です。

たとえばアカデミズムの世界の中における保守派って、これ本当に生きづらいですよ。誰も助けてくれない。自分で戦うしかないんです。周りはほとんど敵だらけ。いつ、自分に石をぶつけてくるのかわからない。孤立無援です。

　権利を主張して一人でなんとか道を切り開くか、転職するしかない。私の知り合いにも、本当は学者になりたかったんだけど自分が保守思想の持ち主であることがバレてしまって大学にいられなくなったという人がいます。「バレてしまって」ですよ。なんか悪いことをしていたみたいでしょう。

保守的な考えを持つことは犯罪でも何でもないし、日本には思想信条の自由が認められている。しかし、保守系の学者はたいていの場合、弾圧されます。普通に考えて、まさにあってはならない不当な差別ですよ。こんな差別はなくすべきです。だからといって、法律で保守派の学者を守れとは言わないし、「保守の学者への理解増進法」を作れと言うつもりもありません。アカデミズムの左翼気質と差別意識は根強い。それでも法律でどうこうするものではないと、私は思っています。

政治ができることだって、もちろんいろいろあります。何らかの事情で働けなくなった身寄りのない人に生活保護を受けられるようにする、事業に失敗した人のためにさまざまな社会保障制度を作る。保険料は高いかもしれないけれど、いざ大病を患ってみると健康保険があって助かったという人も多いでしょう。政治にできることはその程度ですが、それでも、日本はそうした制度が充実していて、日本人は恵まれている。日本はいい国だと私は思います。

だけど、もしも政治が人の心の中にまで介入して、「これは差別だ」とか、「いま差別的な目で俺を見たな、俺の悪口を言ったな、俺が人と変わっているから差別しているんだろう」とか言い始めたら、とんでもない全体主義国家に近づくのではないでしょうか。差別がいけないというのはその通りですよ。「積極的に差別すべきだ」と言う人がいたらそっちのほうがおかしい。だけど、このＬＧＢＴ法は女性の権利や安心、安全が損なわれる懸念がある、さらに社会の混乱を加速させ、全体主義的な考え方がはびこる恐れがあると言っているんです。

これは「ＬＧＢＴ利権増進法」だ

もう一つ、このＬＧＢＴ法には問題があります。読売新聞5月13日付の社説に、こう書かれていました。

〈ＬＧＢＴに関する施策を推進するため、政府が基本計画を作り、毎年、その実施状況を公表することを国に義務づけている。企業や学校に対しても、必要な対策の実施を求めるという〉

問題は「企業や学校に対して必要な対策の実施を求める」という部分です。企業や学校がとるべき必要な対策というのは、どういうことをすべきなのか。トイレをすべて男女共用に変えるのか。まさかそんな予算はとれないだろうし、社員や生徒の猛反対に遭うでしょう。ヘタをすれば社員の大半が辞表を出し、私立学校であれば生徒が集まらなくなるかもしれません。

こういう場合、普通に考えられるのは「LGBTに対する理解を深めるため」と称して、社員や生徒に研修を受けさせることです。そうすると、研修のために講師を派遣する団体なり組織なりができる。ひと口に「企業や学校」と言いますが、全国にはおびただしい数があります。そのすべてが一斉に研修をすることになったら、講演料という名目で莫大なお金が動くことになります。つまりそこに利権が生まれる。

「私、LGBTの専門家でございます」、「ジェンダーの研究者です」という人たちを、高い講演料を払って講師として招いて、社員や生徒が聞いているのかいないのかわからないけれど、1時間なり2時間なりしゃべらせて、あるいは2泊3日で研修会を開いて、「このように理解が深まりました」とレポートを書いて終わりにするということでしょう。これが何の役に立つのでしょう。単純に言って、新たな金儲け、ビジネスじゃありませんか。

そもそも、この種の研修で人間が簡単に変わるという発想そのものが嫌ですね。人間の心の問題というものをあまりに軽視してやいませんか。たかが2時間とか2泊3日で意識が根底から変わるようなことがあったら、それはもはやカルト宗教の領域ですよ。たかが研修を受けた程度で、「目からウロコが落ちました！　神さまと出会えました！　人生が変わった!!」。こんなことを言い出す人とは口もききたくないですね。自分の頭で考えようともしない馬鹿は嫌いなんです。もうちょっと真面目に考えなくちゃいけない。

講演内容も怪しい！

ビジネス以外に講義、講演の内容も怪しいですよね。何らかの方針が示されなければ、その講師がどんな問題意識を持ってどんな講演をしようと自由ということになりかねません。

「学校において、子供の理解を増進させる教育・啓発を行うよう定める」そうですが、もしもLGBTの専門家と称する左翼の活動家が講師として小・中学校、あるいは高校に派遣されてきたら大問題です。しかも、恐ろしいことにその可能性は十分にある。

小学校、中学校、高校には文科省によって指導要領というのが定められていて、基本的にそれを逸脱することは許されません。教員免許も持たず、大学教員のような研究者でもなく、ただジェンダー差別やLGBT差別に反対している人、あるいは当事者と称する人、左翼活動家。誰が講師になるのかわかりません。ちなみに大学教員が講師になったから安全かといえば、それは違います。ほとんどが共産党も顔負けの極左です。いずれにせよ外部から招かれた講師であれば、生徒たちにとっては先生に変わりありません。

教える内容に指針もガイドラインもないから、学校だって事前に具体的な講義、講演内容がわからない。こういう差別があるのは日本の歴史が悪いとか、皇位継承は男系男子のみという〝天皇制〟こそ、構造化された女性差別の象徴であるとか、男らしさ・女らしさというのは国家が国民に押しつけた暴力的なフィクションにすぎないとか言い始めたらどうするんでしょう。

左翼思想的な内容でなくとも、LGBT礼賛を始めたら、それまで男の子と女の子の区別が普通だと思っていた子供たちが混乱してしまう可能性を否定できないはずです。

息子が学校から帰ってきたと思ったら、いきなり驚くようなことを話し出す。

「お母さん、僕はいままでずっと男の子だと思っていたけれど、やっぱり女の子なのかもしれない」

びっくりして母親がわけを聞いたら、息子は泣きながら言う。

「だって、そういう子がいっぱいいるって先生が言ってたよ。あなたたちも胸に手を当ててよく考えてごらんなさいって。もしかしたら、女の子なのかもしれないよ。本当の自分らしさを取り戻さなきゃいけないよって言われてやっと気づいたんだ。これまで勉強や友達との付き合いがうまくいかなかったのは、僕は本当は女の子だったからだ。今日やっとわかったよ」

両親はなぜ学校で訳の分からないことを子供たちに教育するのか困惑するはずです。さらにいえば、実際に性転換手術を受けてしまったあげく、やっぱり「私は女ではなく、男でした。今まで間違ってました」と元に戻りたくても戻れない状況になったら、どうするのか。この講師は責任をとりません。それとも岸田内閣では、そういう被害に遭った子供たちに対して、責任をとってくれるんでしょうか。稲田朋美さん、あなたは責任取れますか？

産経新聞6月6日付の社説には、こんな一節がありました。

〈与党は地方自治体がＬＧＢＴに関する条例を制定する際の指針となるガイドラインを策

定する方針だ。自民の保守系ベテランは「急進的な条例が地方で制定されるのを抑止する狙いがある。ＬＧＢＴ活動家団体に利権が集中しないように成立後も運営面で目を光らせる」と語る〉

なんだ、初めから利権を前提にしているんじゃないですか。「ＬＧＢＴ活動家団体に利権が集中しないように」ってことは、広く浅く、できるだけ多くの人が利権をむさぼれるようにバラまくってことでしょう。「利権を一つの団体にポーンとあげちゃったら問題になるから、利権が集中しないようにしますよ」と言うのは、「みんなにもお金をわけてあげますよ」って意味ですよね。「独り占めは許さんよ」と目を光らせるわけですか。国民不在のバラ撒き政策なんですね。国民には重税を課し、ＬＧＢＴ活動家には利権。誰が納得するのでしょうか。

我が国には自民党という歴史ある巨大政党があります（そういえば立憲民主党という党もありますが、あんなもの、早く警察が立件して消えてしまえばよろしい）。保守政党をやめるなら自民党も、もう「利権党」と名前を変えるべきでしょう。何が「急進的な条例が地方で制定されるのを抑止する狙いがある」ですか。自分たちは何かまともなこと言っていると思っているみたいだけど、国民をバカにするなという話です。利権をバラ撒くような法案、出さなきゃ良かっただけの話です。これでは「利権増進法」じゃないですか。推進した政治家よ、恥を知れ。

本当にLGBT差別が日本にあるのか

そもそも、「こんな法律いらない」というはっきりした根拠があります。

赤池誠章さんという自民党の参議院議員の方がいらっしゃいます。彼が6月9日に上げた「性的少数者（LGBT等）理解増進法　急遽修正へ調整　修正案でも不安払しょくできず…」と題したブログは参考になります。

要するにこのLGBT理解増進法には「立法事実」がないと主張しているのです。立法事実というのは、この法律はなぜ必要なのかということ。つまり、法律を作る根拠のことです。赤池さんによれば、LGBTの人たちの人権を守る取り組みはすでに行われている、だからあらためて法を定める根拠がない、したがって廃案にすべきだと主張していたのです。では、これまでにどのような取り組みがなされているのか。

〈わが国には『人権教育・啓発推進法』という法律があり、その基本計画の中に、『性的少

数者』も盛り込まれ、法務省や文部科学省が実施しています。その成果は、毎年白書という形で公開され、直近でも公開されました〉（法務省：令和4年版人権教育・啓発白書〈令和3年度人権教育及び人権啓発施策〉へのリンクあり）

なるほど、我が国には「人権教育・啓発推進法」があり、そこで十分な対策がなされているわけですね。

実際に、ここで紹介されている白書に飛んでみましょう。

すると「令和4年版　人権教育・啓発白書」が掲載されていて、「第2章　人権課題に対する取組14　その他の人権課題」に「（2）性的指向・性自認（性同一性）に関する人権」という項目があります。具体的にどのような対策をしているのかが書かれていますので、以下に引いてみます。

ア　法務省の人権擁護機関では、「性的指向及び性自認（性同一性）を理由とする偏見や差別をなくそう」を強調事項として掲げ、講演会等の開催、啓発冊子の配布等、各種人権啓発活動を実施している。…（略）…

加えて、法務局・地方法務局又はその支局や特設の人権相談所において人権相談に応じている。人権相談等を通じて、性的指向や性自認（性同一性）に関する嫌がらせ等の人権侵

	平成29年	平成30年	令和元年	令和2年	令和3年
性的指向を理由とした人権侵犯	8	7	9	4	5
性自認(性同一性)を理由とした人権侵犯	18	12	8	13	4

（法務省人権擁護局の資料による）

害の疑いのある事案を認知した場合は、人権侵犯事件として調査を行い、事案に応じた適切な措置を講じている〉

そうして次に、平成29年（2017）から令和3年（2021）の5年間に起きた「人権侵犯事件」が、「性的指向理由とした人権審判」と「性自認（性同一性）を理由とした人権審判」に分けて表で示されています。その件数は表のとおりです。

たったこれだけ、とは言いませんが、LGBに関しての人権侵犯は年10件に満たない。トランスジェンダー（T）に関しては年によってバラつきがありますが、それでも最大で年18件です。それに対して法務省はこれほどの対策を講じている。にもかかわらず、あわてて法律を作る必要があるのかというのが赤池参院議員の主張です。

続いて、同じくLGBTに対する文科省、厚労省の取り組みも紹介されています。ご興味のある方はご覧になって下さい。法務省同様、きめ細かく対策が成されています。

もちろん、こうした対策はこれで十分とまでは言えないかもしれません。もっと効果的な方法、あるいはもっといい考えがあればどんどん実行していくべきでしょう。とはいえ、この上、もっとＬＧＢＴの人たちを理解せよという理念法を性急に作る必要がどこにあったのか。それは全く分かりません。

そもそも、国民はすべて法の下に平等だと憲法で定められているではありませんか。もしも現在の日本社会で、ＬＧＢＴ等性的少数者が道を歩いていただけでひっぱたかれたり、斬りつけられたりするような事件が頻発（ひんぱつ）しているというのならこうした差別をなくすための法を立法しなければならない理屈はわかります。彼らをいわれなき迫害から守らねばならないという立法事実があるからです。

しかし、日本はその点、世界でもずいぶん寛容な国です。歴史的な経緯を振り返ってみても、織田信長と森蘭丸の同性愛や歌舞伎の女形など、まさしく性の多様性が認められる文化がありました。ヨーロッパの多くの国では１９５０年代、60年代くらいまで、ドイツに至っては90年代ぐらいまで、同性愛などは犯罪であるとされていたのです。イスラム圏に至っては、現在でも罰せられる国があります。そういった国々において、人々の迫害から性的マイノリティの人権を守ろうという議論が起こるのはわかる。じゃあ、いまの日本で、法務省、文科省、厚労省の取り組み以上のことを、なぜ国民の不安を払拭する議論もなく、あわててやろうとするのか。

それより70年以上もほったらかしの憲法改正のほうが急務ではありませんか。こう言っては失礼ですが、国防に比べたら、こうしたＬＧＢＴ問題は、当人にとっては大きな問題だとは思いますが、社会全体ではごく些細なことにすぎない。敵の侵略によって国が滅びてしまえば、ＬＧＢＴの権利どころではありません。こうした国内問題を保守政党である自民党が、いついつまでにと期限を区切ってここまで焦って立法するのは理解に苦しみます。70年来の懸案である憲法改正こそ、期限を切って進めるべきではありませんか。憲法改正は自民党結党以来の悲願ではなかったのですか。現在の国際情勢が非常に危うい中、いつまでもこの憲法を放置しておいてよい訳がないのです。

安倍政権はなぜ長期政権たり得たか

最初は5月19日のＧ７広島サミットまでにＬＧＢＴ法案成立を、ということが盛んに言われました。「先進７カ国の中で性的マイノリティのための法律がないのは日本だけだ、恥ずかしい」と言った人もいたくらいです。何が恥ずかしいんですか。さっきも言ったように、日本にはそういう差別が少ないから立法化する必要がなかっただけのこと。むしろ誇るべきじゃありませんか。だいたい、なんでも欧米の真似をすればいい、欧米のほうが進んでいるといまだに思い込んでいるほうが不思議です。

エマニュエル米駐日大使が上から目線で、さっさとLGBT法を制定しろと、日本を後進国扱いしていましたが、よけいなお世話です。幕末じゃあるまいし、駐日大使ごときが内政干渉するな。現在の日本に欧米物真似の鹿鳴館（ろくめいかん）外交は不要です。日本はアメリカの属国じゃない。日本のことは日本が決めます。だいたい、アメリカだって、そんな連邦法はないじゃありませんか。法制化したかったらアメリカに帰って共和党を説得しなさい。はっきりと申し上げれば、「お前さんに、日本にいて頂く必要なんぞないんだよ」と教えてあげなくてはいけないでしょう。さっさと国へ帰りなさい。不愉快だ。

それぞれの国にはそれぞれの文化と宗教がある。それを無視して同じ法律を押し付けることができるなら、世界中一つの法律ですみます。でも、そうはならない。なぜならば各国には各国の歴史があり、文化があり、宗教があるからです。日本にも歴史、伝統、文化があるのです。

2月には首相秘書官の荒井勝喜氏がLGBTに対する差別発言をしたというので岸田首

相の足元に火がつき、首相があわてて荒井秘書官を更迭し、ＬＧＢＴ法案提出の準備を急げと自民党に指示したこともありました。

「隣に住んでいるのもちょっと嫌だ」

「見るのも嫌だ」

なんで首相秘書官の立場にある人がそんなバカな発言しますかね。心の奥底で何を考えているのかは誰にも分かりません。しかし、それをわざわざ口にするのは愚かです。道端で自分の好みでない女性とすれ違った際、「好みではない」「ブスだな」と思うのは仕方ない。心の動きですから。しかし、その女性に向かって「お前のようなブスなんて顔も見たくないんだ！」と叫んだら、その人は異常です。荒井秘書官の行動はこういう行動と同じです。

岸田総理はビビったでしょうね。

岸田内閣のみんなが同じような差別意識を持っていると思われるとまずいから、焦った部分もあったのでしょう。早くＬＧＢＴ法案を通してしまえば、「いやいや、荒井はとんでもないヤツですが、私たちは違います。私たちは差別が嫌いないい人です」と言える。それも理由の一つかもしれません。

そして、決定的と思われるのが公明党の存在です。

仄聞（そくぶん）するところによれば、この法案の成立をこれほど急いだのは、公明党に対するご機嫌取りだという説があります。これはあり得る話です。だって、いま自民党は東京で公明党との選挙協力問題であたふたしています。その渦中にあるのは誰かと言えば萩生田光一さんでしょう。萩生田さんは自民党の政調会長兼都連会長ですよ。公明党とゴタゴタしたまま総選挙に突入したら、自民党の東京はもう大変なことになる。なんとかご機嫌を取らなくちゃいけない。かといって、そのために議席を譲り渡すということはやりたくない。じゃあ、どうするか。

「ＬＧＢＴ法案　採決を見送り廃案にせよ」と題した６月９日付産経新聞の社説「主張」にはこんな一節があります。

〈公明党はかねて同法案の成立を求めている。21日の国会会期末を前に、自民総裁でもある岸田文雄首相が、公明の意向に配慮したとの見方がある。

自民、公明は次期衆院選の選挙区調整で対立している。公明との関係を修復し、選挙での支援を得るために、成立を急いでいるのであれば、党利党略というほかない。公明への配慮より、女性の安全確保を優先すべきである〉

要するに、東京の選挙区をめぐって公明党との関係が悪くなり、自公連立内閣が危機を迎えているから、公明党のご機嫌を取るためにＬＧＢＴ法の成立を急いだというのがいちばんの理由だということです。

しかし、こんなバカなことをやっていたら、いくら公明党の票を回してもらったって選挙は負けますよ。だって、私もそうだけど、自民党支持者の多くは、今回のＬＧＢＴ法案の成立によって「岸田内閣と自民党は、我々保守派の声に対して聞く耳を一切持っていないんだな」と思ったでしょう。「そんな政党に一票を投じて何になるんだ」という人たちが一定数出てくるのは当然です。

この問題に興味をお持ちの方はともかく、地上波あるいはＢＳのテレビしか見ないような多くの有権者は、この法案が通っても、ＬＧＢＴという言葉の意味さえ知らないでいる人のほうが多いでしょう。有権者の多くはＬＧＢＴなんかに興味はないんです。にもかかわらず、しれっと強行採決するやり方っていうのは、明らかにおかしい。

今回法案を通したかった人たちは、ＬＧＢＴ理解増進法を成立させれば公明党の顔が立って、公明党から票がもらえると思っているのかもしれない。だけど、それによって逃げていく保守層の票のほうがずっと多いはずです。保守派を舐めんなっていうことです。

あの不気味な法案を通したのは国を売ったことにほかならない。自民党そのものが内部から自壊しつつあります。自民党はもう保守政党とは言えません。

岸田首相には、安倍政権がなぜあれほど長く続いたかを考えてほしい。岩盤支持層が安倍さんを熱狂的に支えたからです。立憲民主党やマスコミがいかに反安倍キャンペーンを張って叩こうと、内閣支持率が10％下がろうと、安倍さんは日本を守るための政策を次から次へと打ち出しました。安倍さんならこんな法案は通さなかった。岸田さん、それがわかっていますか。安倍晋三元総理の憂国の熱誠を忘れたのか。岸田文雄総理よ、いい加減にしろ！

（2023年5月13・24日、6月7・9日）

第2講　〝保守新党〟はどうやって作るのか

保守新党への渇望

『永遠の0』を始めとするベストセラー作家の百田尚樹先生が保守新党の立ち上げを宣言されて、波紋を広げています。そして、私もその思いに共感する者の一人です。

性的マイノリティへの理解を深めるというお題目のLGBT理解増進法が成立したことを受けて、保守派の多くの人たちは、保守政党である自民党が、国家社会を混乱させることんな法案を提出し、可決させたことに憤り、失望し、もう自民党はダメではないか、期待してはいけないのではないかとの思いを抱いています。いまこそ自民党に代わる、新たな真の保守政党の出現が待たれるところです。

では、その保守新党は、どうしたら現実のものとなり得るのか。それをまず考えなければばなりません。その可能性を、過去の事例から検討してみたいと思います。

先に結論を申し上げておきますと、私はこれ、非常に難しいという気が実はしています。新党を立ち上げることはできるでしょう。百田先生ほどの知名度があれば、資金を集めることも可能だと思います。新党が出来れば私も熱烈に応援します。しかし、ここでは百田先生のケースとは別に、あくまで一般論として保守新党について冷静に現実を見つめてみることにします。

来るべき衆議院選挙、総選挙を戦うことを考えると、２８９ある小選挙区に候補者を何人立てられるかというのが第一の問題になってきます。政治家としての資質を備えていると思われる候補者を２８９人集めるのは至難の業でしょう。供託金はどのように拠出するのか、スタッフをどのように集めるのか、ウグイス嬢は集まるのか等々の問題が出てきます。

それに小選挙区というシステム上の問題があります。小選挙区制度では、当選するのは１人だけです。蓮舫さんには悪いけど、１位でなければ意味がないのが小選挙区制度なんです。そうして、これは政治学の常識の範疇（はんちゅう）に属することですが、対立候補になれるのは２位までということになります。だいたいの選挙で、勝負になるのは当選者＋１名までなんです。だから4人が当選する中選挙区の場合だと、5位までが当選圏内に入ってきて戦える。それ以下が泡沫候補になるのが現実です。

そう考えると、小選挙区で1位がほぼ確定している自民党候補がいたとして、保守系の新党が2番手につけてこれを倒すというのは資金の問題、組織力の面から見て、非常に難しいことです。ですから、野党共闘というのは、選挙で戦うことだけ考えればある意味では正しいのです。全部まとめて二番手につければ、もしかしたら自民党候補に勝てるカモしれないのです。まあ、政権運営を考えると意味の無い野合ですが……。

さて、話を戻して保守新党について考える時、いつも思うのは「次世代の党」のことです。その経緯をご記憶の方もいらっしゃると思いますが、念のため復習しておきましょう。次世代の党が結成された当時の日経新聞（2014年8月1日付）の記事を以下に引いてみます。

〈7月31日に解散した旧日本維新の会に所属していた石原慎太郎氏を支持するグループは1日午前、新党「次世代の党」を発足させた。党首に就任した平沼赳夫氏は昼の両院議員総会で役員人事を提示。石原氏は最高顧問に就任した。

次世代の党の所属国会議員は衆院19人、参院3人の計22人。維新共同代表だった橋下徹

大阪市長が「自主憲法制定」を認めない結いの党との合流を急いだことに反発した保守色の強い議員が集まった。
綱領には「自立、新保守、次世代の理念の下、国民の手による新しい憲法、すなわち自主憲法を創り上げる」と明記。基本政策では、集団的自衛権の行使要件を明確にする安全保障基本法制の整備や、世代間格差を是正するための積み立て方式の公的年金や医療費の自己負担割合の一律化を掲げた〉
「結(ゆ)いの党」というのは、第一次安倍内閣で行政改革担当大臣を務めた渡辺喜美さんが自民党を離党して結成した「みんなの党」の中で〝左〟に位置する江田憲司さんらが新たに作った政党です。当時、旧日本維新の会の代表代行を務めていた橋下徹さんが、この結いの党と合流して「維新の党」を結党しようとした。これに同会の代表だった石原慎太郎さんや、同じく国会議員団代表の平沼赳夫さんらが反発して結党したのが「次世代の党」でした。
次世代の党の国会質問には目を見張るべきものがありました。惜しくもお亡くなりになった三宅博先生が、ＮＨＫを支配するとされる在日韓国人の問題を追及したり、西田譲議員がテロリストの疑いがあるイタリアの思想家ネグリの入国に関する質問をしたり、ピリッとした議論が行われて、自民党議員も次世代の党にはある種、畏敬の念を抱いていました。

ところが、結党して間もない同年12月にいきなり総選挙が行われました。私も同党から立候補した友人の応援に駆けつけましたが、冬の選挙ですごく寒かったことを覚えています。

私は率直にいうと、この選挙で次世代の党は敗北すると予想していました。政治学者として冷徹に分析すればそれは当然だったからです。

しかし、誰もが勝つつもりで戦っているわけだし、予想外のことが起こらないとも限りませんから、全力で応援しました。人の世では奇跡も起きるかもしれない。全身全霊で朝から晩まで応援しましたよ。政治学者でここまで選挙の現場で応援した人は他にいないのではないかと思えるほど、熱く、激しく応援しました。もしかしたら比例で1議席いけるかなとも考えたりしましたが、結果は惨敗でした。

新人も含めて48人が立候補したのですが。当選者はわずか2人。現職衆院議員19人のうち17人が落選しました。

当選した2人というのも、ひとりは平沼赳夫先生、もうひとりは熊本の園田博之さんで、どちらも地盤をがっちり固めていて、無所属で出たって当選間違いなしという大ベテランです。このお二人を例外とすると、17人もいた現職の国会議員が全滅。比例は1議席も取ることができず、石原慎太郎氏も落選して、政界引退を表明しました。

これが小選挙区制の現実です。ですから、新党を立ち上げる時には、冷静になって考えなくてはいけません。

政治は力だ、力は数だ

「ＬＧＢＴ法なんか通しやがって許せない、もう二度と自民党に入れるものか」とおっしゃる方もいるでしょう。しかし、そういう純粋な政治理念によって投票する有権者は、実は非常に少ないんです。これはいいとか悪いとかの問題ではありません。現実です。嫌でも現実は見つめなければならない。それが政治の世界です。

たとえば、なぜ自民党はこれほど強いのかと言えば、各業界の各団体を押さえているからです。世の中には建築業界、運輸業界などさまざまな業界があります。それから職業ごとの団体、組合のようなものがある。有名なところでいうと、医療福祉関係では日本医師会、日本看護連盟、日本歯科医師会とかですね。

その各団体が、今回は自民党のこの候補に入れようという方針を打ち出したら、組織に属している人たちは、全員というわけではありませんが、やはりそれに従わざるを得ない。その人たちの考え方が「左」であろうが「右」であろうが、自分たちの生活がかかっているのですから、応援に力が入る。たとえば看護師さんの待遇を改善するためには看護連盟の候補者を当選させ、与党・自民党に入れたほうがいいだろうということになるんです。

さらに、宗教団体があります。このところ創価学会と統一教会ばかりが注目されてきましたが、もちろん宗教団体はこの二つだけじゃありません。自民党を支えている宗教団体で有名なのは霊友会ですね。ここの信者数も相当に多いことで知られています。また、神道政治連盟も自民党を支える大きな力になっている。野党系で言えば、立正佼成会があるし、自民党を応援する比較的小規模な新興宗教も数多く存在しています。

こうした団体の中には思想的には自民党より右の人たちも大勢います。とくに神道政治連盟なんてそうでしょうね。私が最も親近感を抱いている組織の一つです。皆さん、本当の愛国者で頭が下がります。それでも組織として、今回の選挙では、比例は誰に入れようかとなった時には、自民党の中で最も適当な人にしようじゃないかという形で動いていくわけです。与党である自民党に自分たちの代表者を送り込まなければ、意味が無いということになってしまうのです。たとえ、当選させたとしても泡沫政党の一議員に何が出来るのでしょうか。与党を動かしてこそ、国がまっとうになる。各々の団体がそういうリアリズムで動いています。自衛隊OBの隊友会であれば、左傾化した自民党は情けないと思いながらも、やはりヒゲの隊長、佐藤正久さんを応援することになるでしょう。これが現実なのです。

そういう中で、自民党に飽き足らず、保守新党に1票を投じてくれる人は非常に貴重な存在です。しかしながら、やはり数が圧倒的に少ないのが現実です。ほとんどの人は政治のことなど深く考えず、なんとなく選挙に行って、立憲民主党はいやだな、公明党って何かの宗教団体だっけ、やっぱり自民党に入れておこうかな。そういえば、職場の誰かが自民党に入れておいてって言ってたな、まあいいか。結構いい加減に投票しています。

他にもこんな有権者も多いですよ。

「あれ、この人ハンサムで感じいいな。でも女性候補のほうがいいのかな。こっちの人、美人じゃん、私には負けるけど。私より美人だったらムカつくから入れないけど、ブスは嫌い。この人に1票入れておこう」。そういう軽いノリの人が圧倒的に多いんです。選挙っていったい何なのだろうと思うような事例も多いのが現実です。

私もユーチューブで動画を配信していますが、すごい弱小チャンネルですから、一つの動画で10万人も観てくれたりしたら大喜びです。いつか一つの動画で視聴者100万人を達成したいなと思っているんですが、なかなか難しい。でも、実現したとしましょう。それだって、日本国民1億2000万人のうちのごく限られた人数にすぎません。その中には、選挙で誰に入れるかすでに決めている人たちがいっぱいいるわけです。

「岩田の言うこともわかる。自民党も近頃けしからんしな。でもなあ、うちは業種を考えたら自民党とうまくやっていかなくちゃいけないんだよな。自民党がこけたら大変だしな」

という人たちです。

だから自らの思想に忠実に、保守新党に入れようという人は本当に立派だと思います。しかし、民主主義というのは数なんです。田中角栄元総理の「政治は力だ、力は数だ、数は金だ」という論理はある意味、いまも生きているんですよ。

「次世代の党」にいた方で、いまもなお国会議員でいるのは杉田水脈氏、山田宏氏ほか数えるほどです。地方議会や、民間のさまざまな分野でいまも頑張っている方はたくさんおられますが、国政の場に戻れた方はわずかしかいらっしゃいません。

平沼赳夫先生は初めて出馬した時から憲法改正を掲げていらっしゃいましたが、当時は憲法改正を口にするだけで極右だと思われていましたから、二度落選して、三度目でようやく初当選されました。郵政民営化に反対して自民党を離れた後も「たちあがれ日本」を結成して、旧日本維新の会を経て「次世代の党」を作った。ずっと筋を通し、信念をもって自民党と対峙されてきました。その平沼先生でも、とうとう自民党に勝つことはできませんでした。

安倍晋三元総理は平沼赳夫先生を尊敬しておられましたが、平沼先生の弱点として、すぐに党を割って、少数政党になってしまうことを指摘しておられました。政党は割ってはいけない。その中で主流派になり、数の論理でも勝てるようになるべきだというのが安倍元総理のお考えでした。安倍元総理は徹底したリアリストでもあったのです。

「新党天誅」構想と安倍路線

では、どうすれば極左化した自民党に一矢報いることができるか。私としては、自民党内の左派の力を削ぐことが、その第一歩だろうと考えています。逆に言えば、自民党内の右派の力を強めるということです。今回、ＬＧＢＴ法案に反対して採決を欠席・退席して処分を受けた山東昭子氏、和田政宗氏、杉田水脈氏のような人々の数を増やすことが大事だと思います。そうして、自民党全体を「右」に軌道修正するのです。

そのために私が考えているのは、名付けて「新党天誅」構想というものですが、いや、うまくいくかどうかわからないし、そんなもの実現させる力は私にはないんです。でも、たとえば今回のＬＧＢＴ法案を積極的に推進したような左派議員の選挙区に、敢えて保守系の候補者をぶつけるという作戦です。

これをやったからといって、どれだけ票が取れるかはわかりません。その地域ごとにいろんな事情やしがらみがありますから。結局、あの候補者は地元の夏祭りとか盆踊り大会に来てくれたとか、真面目に政治を考えている人がバカらしくなるような、そういった理由で1票入れる人って、多いんですよ。皆さんの地元の国会議員が地域のイベントにいちばん力を入れていることを見ればわかります。政策を懸命に勉強している人なんかほとんどいません。そんなことしてたら、落選しますから。馬鹿みたいに一生懸命、顔を売るために夏祭りを周っていますよ。浴衣着て盆踊りを踊っていますよ。踊る阿呆に見る阿呆。面白いのは、お祭りに顔を出したからといって1票入るとは限らないんです。だけど、お祭りに行かないと1票減るんだそうです。

私に言わせれば、こんな選挙は衆愚政治でしかないんですが、それが日本の現実なんです。申し訳ないが、この程度の日本国民がほとんどなんです。しかし、国民は愚かだからといって上から目線で説教したり、意識を変えようとしたりしすぎると、立憲民主党のように国民の意識から乖離した政党になってしまうわけです。だから結局、国民のレベルに応じた政治家が当選するということなんですよ。日本の政治家って馬鹿だなあ、って思うことは、日本国民って馬鹿だなあ、って思うこととほとんど同じなんです。悲しいですが、現実です。

純粋な保守の政治家、たとえば平沼赳夫先生のような志の高い政治家は残念ながら日本国民の民度に合っていなかった。残念ながら、猫に小判、豚に真珠、日本国民に平沼赳夫だったわけです。だけど、これが真珠であるのがわからないのかと有権者を叱りつけたりすると、それは民主党系の「まずいラーメン屋理論」になってしまう。つまり、客に向かって「あっちの店よりウチのラーメンのほうがうまいだろ!」と強引に食べさせるようなものので、うまくいかないのは目に見えています。

俺は日本で一番美味いラーメンを作っている。間違いなく、日本一美味い。

しかし、全く売れない。

ここで、よせばいいのにラーメン屋のおっさんはキレはじめるんです。

「こんなうまいラーメンの味がわかんないなんて、腐ってるよ。お前は人間じゃない。叩き斬ってやる!!」

まずいものは、まずいんです。国民に説教すればいいというものではない。

ならどうするか。

自民党内の左派を撃つという「新党天誅」方式をやってみたら面白いと思うんです。しかし、現実にはそううまくはいかないでしょう。だとしたら、やはり安倍晋三路線が正しいのではないかという気がします。つまり、党の中でいくらいやなことや辛いことがあっても耐え忍んで、ブレずに権力を取りにいく。権力の奪取を使命と考える。しかし、思想は微塵もぶれない。

安倍晋三という政治家を見ていると、彼の生涯というのは左傾化した自民党を正しい位置に戻すためにあったのではないかという気が致します。時には右派から批判されたこともありました。保守の長老から「安倍談話」を叱る声もありました。しかし、それでもグッとこらえて沈黙を通した。なぜかと言ったら、集団的自衛権をはじめ、まだやらなくてはいけないことがいろいろあったからです。そうして党内の左派色を払拭するために力を尽くされた。だから安倍元総理がお亡くなりになったとたん、これまで押さえつけられていた左派的な政策がどんどん出てきたでしょ。安倍元総理が馬鹿を抑えていたのです。

ほとんどの政治家は、自民党に限らず、自分の選挙のことしか考えていません。どうやったら次の選挙に当選するかを最優先します。政治家として何を成し遂げるかを第一に考える政治家は極めて少ないんです。だから我々は、そういうごく少数の優秀な政治家を見極めて全力で応援し続けていくことがいちばん大事だろうと思います。

たとえば、杉田水脈さんがもし自民党に残るとしたら、精いっぱい応援すべきです。いや、誰であろうと自民党はもう誰も応援しないという態度でいたら、それは自民党内の左派を増やし、彼らが力を持つことにつながる。これはやはり日本人の選択としてよくないと思います。どうしても自民党内左派を減らしていかなければならない。

何といっても、自民党のように数百議席を取れる政党というのは一朝一夕にできるものではありません。自民党は何十年もかけて全国津々浦々まで組織を広げてきたわけです。こういう巨大政党を一夜にしてひっくり返すのは不可能に近いし、また、新たに作るには非常な困難を伴います。

各メディアのアンケート調査で岸田政権の支持率が軒並み落ちていますが、これは国民がLGBT法に反発したからだろうと思ったら大間違いです。残念ですが。ほとんどの人が「LGBTって、それ何？　テレビでそんなこと言ってなかったよ」という感じでした。自分から情報をキャッチして、法案の内容がおかしいことを理解する人はごくわずか。私が思っていたほど日本国民は賢くなかった。これは正直、ショックでした。泣きたくなりますよ。悲しい！

ただ、私は政治学者ですから、自分の理想と現実の分析は別ものと考えています。それを混同することはありません。私の理想は自民党より右寄りの保守政党ができることです。それが一番です。だけど、現実を分析する限り、保守政党を立ち上げることは本当に難しい。次世代の党の選挙の時も、全力で応援しながらも、きっと負けるだろうなと思っていました。そして思いっきり敗北したわけです。

もし石原新党ができていたら……

もし保守政党を作るとしたら、参議院の全国比例で勝負するか、あるいは、これはという人物が市長や知事になって、地域政党を立ち上げていくかだと私は考えています。これは維新の真似です。小池百合子都知事も、大阪の橋下徹府知事を真似てこの手を使いました。

小池さんが都知事になった時、私はあるジャーナリストと議論になったことがあります。政局通と言われていて（私はそうは思いませんが）、よく朝まで司会をやっていらっしゃる方です。入れ歯がかみ合っていない人です。数年前に私が小池さんは新党を作るでしょうねと言ったら、怒鳴ってきました。

「作るわけないよ！　彼女はこれから自民党とうまくやっていかなくちゃならないんだから！」

その時は私もまだ若かったから、「なんだと！　そんなこともわからないのか！」とは言わずに「勉強になります」とにこやかに引き下がったんですけどね。でも、結果はどうだったか。小池さん、新党を作りましたよね。「都民ファーストの会」と、失敗しちゃったけど「希望の党」を。あの入れ歯の爺さん、間違ってたんですよ。居丈高だったけど。人を威嚇して黙らせようとするのが爺さんの特徴ですね。自分の知性に自信がないんです。

石原慎太郎さんも、あれだけ人気があったんだから、都知事時代の人気絶頂の時に石原新党を地域政党として作っておくべきだった。でも、できなかったんです。なぜか。息子たちが自民党にいたから。我が子がいじめられたり冷や飯を食わされたりするのに忍びなかったからです。

石原さんの行動原理って面白くて、昔、『スパルタ教育　強い子供に育てる本』(カッパブックス)なんていうベストセラーを出したわりに、自分の息子たちにはスパルタどころか大甘で、息子たちのためなら選挙も妥協するし、ライバル候補は公認しないとかね、露骨なくらい過保護でした。だからノブテル君もヒロタカ君も強い子に育たなかった。そこが石原さんの弱点でしたね。けっこう尊敬できるところもあったんですが、政局になると、自分の息子可愛さで動いてしまうことがあって、それをいつも残念に思っていました。

私は「次世代の党」が一つのケーススタディになると思っているので、「自民党より右の挑戦」みたいな本を1冊書いておきたいと密かに考えているんですけど、もしも中選挙区制であれば、5議席の選挙区で1議席くらい取れる可能性はあったんです。だけど、中選挙区制だと社民党とか日本共産党のようなぶっ飛んだ政党までバンバン当選してしまうデメリットが出てくる。加えて、中選挙区から小選挙区制になったのは1990年代のことでしたが、これがうまく機能しているかどうかは国民が判断すべきことだとしても、これを再び中選挙区に戻すというのは憲法改正と同じくらいエネルギーを要します。選挙区を変えるための選挙というのは、ただの政権選択選挙ではなく、以後の政治の在り方を決める選挙になりますから。

小選挙区制度をどう思うかと聞かれたら、私は賛成だと答えます。なぜかと言ったら、憲法改正を発議するためには衆参で3分の2以上の議員の賛成が必要だからです。中選挙区制では、改憲勢力が3分の2以上を獲得するのは至難の業です。社民党のようなおかしな小政党が乱立して3分の1以上取ってしまいますから。そう考えると、小選挙区制で憲法改正を実現したほうがいい。私はプラグマティックにそう考えています。

冷静に分析すると、保守新党はきわめて難しい。立ち上げるだけならいくらでもできるでしょうが、一度選挙に勝つだけじゃなくて、20年後30年後を見据えた永続的な政党でなければ意味がない。

いま思えば返す返すも残念なのは民主党がもう少し右に寄れなかったことです。何をトチ狂ったのか、左に左に振れていって自滅して、いまでは日本共産党と区別のつかない党ができてしまった。自民党よりはやや左だけれど、共産党とは歴然と違うという路線をとっていれば、国会もいまのようなザマにはなっていなかった。

たとえば今回のLGBT法案のようなものを自民党左派が提出したら、「女性の安全が守れるのか」とリベラル系野党が反対の声を上げる。そうしたら、やっぱりこんな方向じゃだめだ、次の選挙は右派中心でいこうということになるでしょう。それが健全な国会の在り方です。それが、「自民党案は生ぬるい」とか言ってトンチンカンな批判をしたあげく、可決させてしまう。これは本当に日本にとって不幸な状況です。

現実的な選択としては、自民党からできる限り左派を排除することです。有権者として小池都知事ばりの〝排除の論理〟を行使するのが第一歩であると思います。そうして自民党自体を〝保守新党〟化してしまうのです。

現在の自民党を見ていちばん嘆き悲しんでいるのは安倍元総理でしょう。この7月8日に増上寺で一周忌がありますが、安倍派の連中はいったいどの面下げて出席するのかと思いますね。安倍元総理がご存命であれば絶対に望まなかったことを、死人に口なし、もう関係ないとばかりに推進しているのは絶対に許せない。自民党からは志ばかりでなく、義理人情まで失われたのです。いい加減にしろ、自民党！

（2023年6月22日）

第3講　日本国民を恫喝した中国大使を許すな！

悪魔は天使の顔でやってくる

2023年5月10日付の産経新聞に〈**中国大使「日本の民衆が火の中に」発言に林外相が抗議　台湾問題巡り**〉という記事が載っていました。要約してみましょう。

事の発端は中国の呉江浩（ごこうこう）駐日大使の台湾を巡る発言です。

呉大使は4月の記者会見で、日本が台湾問題を安全保障政策と結びつければ「日本の民衆が火の中に引きずり込まれる」と牽制したのです。「台湾有事は日本の有事」との認識に関して、呉氏は「荒唐無稽」と断定しました。これに関して呉氏の発言は「極めて不適切」と外交ルートを通じて林芳正外相が抗議しましたが、それは衆院議員の松原仁さんへの答弁で明らかになりました。松原さんは立憲民主党には珍しいまともな人でした。6月15日、次の総選挙から適用される「10増10減」による立憲民主党内の選挙区調整をめぐって、松原氏の希望する東京26区での公認が得られないことを理由に、離党しました。なぜこれまで在籍していたのか不思議なくらい、立憲民主党にはもったいない人材でしたから、松原氏ご本人のためだけでなく、日本のためにも実に適切な判断だったと思います。

右の記事は、その松原さんの質問に林外務大臣が答えたことを報じたものです。２０２３年、新たに駐日大使として赴任した呉江浩氏が、４月28日に東京都内の日本記者クラブで行ったスピーチに問題発言があったことを、松原氏は批判したわけです。中国大使の「日本が台湾問題を安全保障政策と結び付ければ日本の民衆が火の中に引きずり込まれる」というのはまさしく恫喝でしかありません。

アメリカのエマニュエル駐日大使のＬＧＢＴ法案に対する内政干渉発言といい、岸田政権になってから、日本政府はどうも各国大使からナメられているようです。林外相は「対話により平和的に解決されることを期待する」なんて相変わらず甘っちょろい答弁をしていますが、30分ほどの呉江浩大使の講演の内容は、とても平和的に話し合えるようなものではありません。その重要なポイントを見てみましょう。

呉大使はこんなことを言っています。

〈過去10年間、習近平主席のリーダーシップのもと、中国外交は世界のためを思いつつ、変局と変化に立ち向かって、世界の平和維持と共同発展のために積極的に行動を取ってきました〉

全くの嘘ですね。習近平が平和を求めて行動しているなどと信じる人はよほど頭のネジがぶっ飛んだ人しかいません。現実を見てみましょう。彼は香港で何をしましたか。世界の人々が注目する中、香港の自由民主主義を叩き潰しました。ウイグルではナチスドイツの強制収容所を彷彿とさせるような収容所にウイグル人をぶち込んでいます。習近平が平和を求めているならば、ヒトラーやスターリンも平和を求めていたことになるでしょう。人権を剝奪し、人民を塗炭の苦しみに追いやることを、一般的な日本語では暴政であり、圧政であり、全体主義と言います。習近平が平和を求めている。なかなか立派なギャグです。

まるで中国が人類の味方であって、善意のかたまりであるかのような言い方です。ゲーテは「地獄への道は善意で敷き詰められている」と言っています。悪魔は天使の顔をしてやってくるということです。「ちょっとすみません、あのう私、悪魔なんですけどね」と言いながら悪魔が寄ってきたら、みんな「キャーッ！」って逃げていきますよね。

詐欺師もそうです。いかにも悪人ヅラしたいかつい男が、一人暮らしのおばあさんに「よう、ばあさん」なんて近づいてきたら怖がられて警戒されます。逆に、笑顔の爽やかな好青年が「おばあちゃん、困っていることはありませんか、何かお手伝いしましょうか」と言って親身になって毎日様子を見にきてくれたらどうでしょう。東京へ出て行ったまま顔も見せない、電話をしても迷惑そうな声でけんもほろろに切ってしまう薄情な子供たちに比べたら、こちらのほうが実の息子のように思えてきます。重い家具を運んでくれる。草むしりはしてくれる。雨漏りがすると言ったら屋根に上って直してくれる。

すっかり気を許して、「床と柱がギシギシ言うの」と相談したら、「シロアリかもしれませんね。いい業者を知っていますよ」とか言い出して、通常なら３万円ですむものを３００万円の請求書が届く。それと同じことです。

媚中派をくすぐる甘い言葉

『中国四千年』という虚構を振りかざし、「孔子以来の高度な文明を築き上げてきた」とうそぶいて、聖人君子のような口ぶりで、世界の皆さんも「徳」による政治を目指しましょうみたいなことを中国は言うわけです。「さすが中国!」と感心するのはよっぽどおめでたい人たちですが、日本人のおめでたさを見透かしているのか、呉江浩大使は臆面もなく、こう言います。

〈グローバル文明イニシアティブの核心的主旨は、文明の多様性を尊重し、お互いの交流で壁を超越し、相互理解で衝突を超越し、寛容な精神で優劣論を超越することです。文明とは色とりどりなもので、決して上下や優劣はなく、ましてや一色に染まるべきではない、中国は常にこのように主張しています。人種、宗教、価値観やイデオロギーの対立を煽り立てることに我々は賛成しない、特に自国の制度を他の国に押し付けることに反対します。それこそ今日の世界における様々な紛争や混乱の禍根であることが、多くの事実に証明されています〉

あきれてものも言えないとはこのことです。中国人がウイグルでしていること、チベットでしたことを棚に上げて、アメリカ的な自由と民主主義を我々に押し付けるなと言っているわけです。中国は美辞麗句の中に政治的な攻撃の言葉をたくさん隠している。それがかつて鄧小平が得意としたやり方であり、中国の伝統的な戦術です。呉大使は続けてこう言います。

〈習近平主席が指摘しましたように、人類運命共同体の構築は、あるシステムを別のシステムに取って代わり、ある文明を別の文明に取って代わることではなく、社会システム、イデオロギー、歴史、文化、発展レベルの異なる国が国際問題で利益、権利、責任を共有し、より良い世界を共に築こうという最大公約数を形成することです〉

ちょっといいこと言っているな、なんて感心しているそこのあなた、思い出してください、詐欺師が笑顔で「おばあちゃん、おばあちゃん」と近寄ってきたことを。それですよ、まさに。彼らが「人類運命共同体の構築」と言うのは、表面上は「われわれは文化を押し付けたりしませんよ」という意味ですが、中国共産党がチベットとウイグルで行っていることは、それと真逆のことです。

新疆ウイグル自治区の強制収容所から脱出した女性の手記『重要証人――ウイグルの強制収容所を逃れて』（サイラグル・サウトバイ、アレクサンドラ・カヴェーリウス著。草思社刊）には、「習近平万歳。私の命と私の財産は全て党のおかげです。中国共産党万歳。党がこの命を与えてくれたから私は生きている。党が存在しなければ新しい中国はない。党こそすべてである。習近平を除いて神はいない。中国こそ世界最強であり中国をおいて他に全能の国はない」というようなことをウイグル人に繰り返し言わせて洗脳している実態が告発されています。そういう国の大使が、どの口で「人類運命共同体の構築」などと言えるのか。

そして、言外にアメリカを批判しながら、呉大使は日本に甘い言葉を投げかけてきます。〈**地域と世界の重要な一員である日本が、歴史の正しい側に立ち、ともに人類運命共同体構築のパートナーとなっていただくことを心から希望しています**〉

「歴史の正しい側」と言いますが、これも恐ろしい言葉です。カール・ポパーという哲学者は、『歴史主義の貧困』（日経ＢＰ）という本の中で、階級対立によって資本主義から社会主義に移行するのは必然と考え、過去から未来まで、歴史を一直線に見る共産党の「歴史主義」は断じて間違いであると批判しています。それをポパーは『開かれた社会とその敵』（岩波文庫）でより具体的に哲学的に語っています。

中国は美辞麗句の中に攻撃の言葉を隠していると言いました。それは「おばあちゃん、シロアリを駆除したほうがいいですよ」という親切なアドバイスの中に「ゴラァ！　ばあさん、金出せや！」という言葉が隠されているのと同じです。「地域と世界の重要な一員である日本にパートナーとなっていただきたい」という「心からの希望」は「おい、中国の属国にならんかい！」という言葉にほかなりません。

媚中派や親中派は、それがなかなかわからない。「日中友好」という中国の甘い言葉に酔いしれ、「日本を〝地域と世界の重要な一員〟と評価してくれてありがたい」と大喜びしかねないから厄介です。

鏡に向かって言え

中国は常に被害者であり、日本は加害者であるというのが中国の基本的な立場です。しかし、現状の日中関係について、呉大使はこう言っています。

〈皆さん、中日関係については、今重大な岐路に立っているという認識です。国交正常化以来最も複雑な状況に直面し、新しい問題、リスク、チャレンジに差し掛かっています。米国が中国へのネガティブキャンペーン、最大限の圧力を繰り広げ、更に他国を引っ張り込んで、強引に中国を封じ込めようとしています。このことが、中日関係に影響を与える最大の外的要因となっています〉

つまり、「いま日中関係がギクシャクしているのは日本が悪いんじゃない、アメリカが悪いんだよ」と、まず下手（したて）に出る。そのうえで、続けます。

〈当面の急務は、中日関係が航路から逸脱せず、停滞、後退することなく、正しい方向性をしっかりと把握していくことです〉

ここで正しい方向性と言っているのがポイントです。正しい方向性とは、科学の世界にあっては、1＋1は2ということです。これを1＋1は5であるとの前提に立ちながら計算を進めれば必ず結果は間違いになります。しかし、外交関係において、何が正しいとは軽々に判断できません。ここで中国が主張しているのは、自分たちの都合のいい関係こそが正しい関係なのだということなのです。

さらに、続けています。

〈両国指導者が何度も確認した重要な合意に則り、両国や両国民の根本的利益を見据え、新しい時代の要請に相応しい中日関係の構築を推進していかなければなりません〉

ここで中国が主張していることも明らかです。今までのように中国にとって非常に有利な関係をこれからも続けていこうぜ、それが正しい日中関係なんだよと言っているに過ぎません。日本の国益など歯牙にもかけないくせに、日本の国益を重視しているように語っている点も注目に値します。

まだまだ、ベラベラとこの大使は話し続けます。話長いですよね。

〈すべての紛争を平和的手段により解決し及び武力又は武力による威嚇に訴えないこと、両国はいずれも、アジア・太平洋地域においても又は他のいずれの地域においても覇権を求めるべきではなく、また、このような覇権を確立しようとする他のいかなる国又は国の集団による試みにも反対すると規定しています。これは双方の厳粛な約束であり、履行すべき法的義務でもあります〉

いやいや、ちょっと待って。「アジア・太平洋地域においても又は他のいずれの地域においても覇権を求めるべきではなく」というのはまったくそのとおりです。だけど、中国がいま東シナ海と南シナ海でやっていることって一体何なんですか。ジョンソン南礁やスプラトリー諸島とかに軍隊を派遣して自分たちの勢力圏をどんどん拡大している。これが「覇権を確立しようとする試み」でなくて何でしょうか。

日本がそんなこと一度でもやったことがありますか。日本は覇権主義とは程遠いどころか縁がない。韓国に竹島を乗っ取られ、李明博（イミョンバク）などという不埒な大統領が上陸しても指をくわえたまま何にもできないでいる。中国漁船や軍艦が尖閣諸島周辺を我が物顔に航行しても軍事的な手段には訴えられない。そのせいで中韓両国にナメられるだけナメられる事態に陥っています。日本国民の一人として歯痒いことこのうえありません。

にもかかわらず、なんだかこの人の話を聞いていると、まるで日本がアメリカの覇権主義に追随して中国の主権を侵害しているみたいじゃありませんか。「覇権確立に反対することは双方の厳粛な約束であり、履行すべき法的義務でもあります」って、それに違反しているのはどっちだと言いたくなります。これって全く逆でしょう。被害者なのに加害者扱いされて、加害者が被害者のような顔をしているわけです。おかしいと思いませんか。泥棒が被害者ヅラして盗まれた側を難詰する。盗っ人猛々しいとはこのことでしょう。

〈日本に対しては、中国は常に善隣友好、協力ウィンウィンを主張し、日本をライバルにしたことはなく、なおさら脅威ひいては敵扱いする意思はありません。日本においても、同じ態度をとっていただきたい〉

いやいや、中国は日本の脅威ですよ。「敵扱い」しているのはお宅さんですよね。あの〜反日教育っていったい何ですか。日本が中国でズーッと悪いことをしていた。それを懲らしめて中国大陸から追い出したのが共産党の指導する我が素晴らしき人民解放軍であると教えている。どう見たって敵扱いしているじゃないですか。そんなことはどこ吹く風とばかりに、呉大使はこう言います。

〈残念ながら、最近日本側は、中国を「これまでにない最大の戦略的挑戦」と位置づけ、

個別の国の反中、中国抑制に追随して、「中国脅威」を喧伝することによって、軍備拡充を加速しています〉

呆れてものも言えないというのはこのことです。朝日新聞や赤旗ばかり読んでいる人は、日本はアメリカに追随して軍拡を進めているんだと思うかもしれません。だけど事実は全く逆であることは普通に考えれば誰にでもわかることです。中国が異常なくらい軍事費を増やし、軍事力を強化し続けているから、日本は不測の事態に備えて50年近くＧＤＰ比１％程度に抑えてきた防衛予算をようやく少しずつ増やしていこうということになった。軍備拡充を加速しているのは、それお宅さんのことです。鏡に向かって言いなさい。

〈日本側がこのような認識と政策基調に固執するのであれば、中日関係の基盤が実質的にダメージを受け、中日関係の健全で安定した発展は語れるわけがありません。条約締結45周年記念を契機に、お互い条約の精神を再確認し、その規定を守り、その義務を履行すべきではないでしょうか。ぜひ日本側が客観的な対中認識を確立し、戦略的自主性を以て、時代の大勢を見極め、建設的な姿勢で両国関係の安定した発展を進めることを期待します〉

私たち中国は、あなたたち日本が約束破ってることに対して本当に苛立ってるんだよ。でも、まだ許してあげるよ、ちゃんとやればねって……それはこっちのセリフだ。あんたたちだろ、好き勝手やっているのは。

呉中国大使は、いけしゃしゃあと「日本は〝客観的な対中認識〟と〝戦略的自主性〟を持て」と言う。ここでいう「自主性」は北朝鮮の主体（チュチェ）思想に近い。「自主性」を持てと言えば聞こえはいいが、要するにアメリカと仲良くするのはやめろと言っているんですよ。

「もっと自主的に判断しろよ」と言われたら、「なるほど、我々も主権国家として自主的な判断をすべきかな」と、ついナットクしそうになりますが、いやいや、騙されてはいけません。それは日米の離反を画策する言葉以外の何ものでもない。「ばあさん、金出せや」の話を思い出してください。

政府も野党もマジメにやれ

そして、呉中国大使はいよいよ台湾に言及します。

〈日本側には、約束と信義を守り、歴史、台湾など重大な問題の善処、中国の核心的利益への損害の停止を求めています〉

歴史認識と台湾問題が重要だと言いたいのです。具体的にはどういうことなのか。ちょっと発言を引用してみましょう。

〈台湾問題は中国の核心的利益の核心、中日関係の基礎の基礎、越えてはならないレッドラインであります。強調したいのは、台湾は中国の台湾であり、台湾問題をどんな形で解決するかは、完全に中国の内政であり、いかなる外部勢力も干渉する権利がありません。我々は最大な誠意、最大な努力で平和統一を求めます、しかし武力行使の放棄を約束することはしません〉

台湾問題はウチの問題だから、お宅さんたちは指一本触れちゃいけねぇぜと凄んでみせる。そしていよいよ美辞麗句という礼服の下の鎧、そしてドスをちらつかせます。「我々は……武力行使の放棄を約束することはしません」と。要するに、これはヤクザが「うちのシマあらすんじゃねぇ！　俺たちは俺たちの好きなようにやるんだ。ナイフで刺そうが銃で撃とうが黙っていやがれ」と凄んでいるのと同じです。美辞麗句でごまかそうとしていますが、本質はヤクザ。これが中国共産党です。

これが習近平に忠誠を誓う中国共産党エリートの揺るがぬ共通認識です。これ、本当に恐ろしいことですよ。次にまたとんでもないことを言い始めます。

〈武力行使を放棄しないことはまさに「台湾独立」に対する根本的な抑止力であり、両岸

の平和と安定を維持するための根本的な保証であります〉

これって詭弁以外の何でもありません。意味が分かりますか。言葉だけ聞くと何となくその通りだと思いますが、言っていることは無茶苦茶。我々が侵略するかもしれないから、両国関係は平和なのだ、こんなでたらめな話があるでしょうか。攻め込まれないために自衛するというならば分かります。侵略される可能性があるから平和であるなどとは正気の沙汰ではありません。隣人が銀行強盗する可能性があるから、銀行の秩序が保たれている。こんな馬鹿な話がありますか。仰々しい言葉遣いで無茶苦茶なことを主張する。それが中国外交の本質です。さらに彼は続けます。

〈現在の台湾海峡の情勢が緊迫しており、「台湾独立」勢力と外部の干渉勢力が結託して、サラミ戦術で挑発の試みを繰り返し、最終目標は台湾を中国から分離させることにあります〉

これは彼の妄想です。台湾では現状を維持し平和を保ちたいという人が圧倒的多数です。何が何でも台湾を独立させ、中国に喧嘩を売ってやろうと考える人は少数派です。私などは台湾が中国から独立してくれればいいと願いながらも現実を冷静に分析すれば、独立はなかなか厳しいという結論に到ります。日本の最右派の政治学者である私ですら独立よりも現状維持と平和を望んでいるのです。呉中国大使は妄想を語るべきではありません。
結局の所、中国が武力行使を放棄しないと言っているから平和なんだというのです。無茶苦茶な話です。全体主義のディストピアを描いたジョージ・オーウエルの『1984年』の世界です。「戦争は平和だ」というスローガン、虚偽を広める「真理省」という名の省庁……これに習近平は「侵略する意志は安定を維持するための根本的な保障だ」と付け加えるわけです。訳が分かりません。貧困こそが豊かさだと言われて納得できる人がいるでしょうか。

この論理を突き詰めていけば「給料は安い方がいいのです」という大阪のとあるブラック大学のような論理に行き着くでしょう。ちなみにこの大学では研究しない大学教員の方が偉いという謎の倒錯した論理を打ち出してもいました。中国とそっくりです。

私たち日本人が主張しているのは平和を乱すなということだけであって、別に危険なことを言っているわけではありません。そして、いよいよ次が問題の箇所です。

〈いわゆる「台湾有事は日本有事」という言い方があります、これはまたあまりにも荒唐無稽で危ない。中国の純内政問題を日本の安全保障と結びつけるのは非論理的なだけではなく、極めて有害であります。日本という国が中国分裂を企(くわだ)てる戦車に縛られてしまえば、

日本の民衆が火の中に連れ込まれることになってしまいます〉
「台湾有事は日本の有事、日本の有事は日米同盟の有事」だと言ったのは安倍晋三元総理です。この安倍元総理の言葉を中国が危険で有害だと言っているということは、中国共産党にとって、安倍路線がどれだけ打撃だったかということです。逆に言えば、安倍路線がいかに日本の国益に沿っていたかということにほかなりません。

『安倍晋三回顧録』を読むと、世界各国の首脳が中国の侵略主義的な魂胆にまったく気づかずにいるうちから、中国がいかに危険な存在であるか、安倍晋三元総理が繰り返し説明し、警戒するように説得していたことがよくわかります。

その安倍元総理の主張を戦車に例え、その戦車が日本国民を火の中に連れていくと言うのは、それこそ中国が好んで口にする「内政干渉」ですよ。言い換えれば、「安倍晋三みたいな政治家を支持すると、我々中国は日本を火の海にするぞ」ということです。

これは昔、北朝鮮が「日本を火の海にしてやるぞ」と脅していたのとよく似ていますが、中国の脅威は北朝鮮のそれと比べものにならないほど圧倒的です。駐日大使の発言とは思えない、実に恐るべき恫喝です。

にもかかわらず、林外相の「対話により平和的に解決されることを期待するとの日本の立場を伝えた」という紋切り型の答弁からは、日本政府が厳重に抗議したとはとても思えません。「日本の立場は伝えましたよ」と答えるだけでは、本当に抗議したのか、どれぐらい強く抗議したのかわかりません。本来なら、松原氏に聞かれる前に、記者会見を開いて呉大使を非難するとか、呉大使を呼びつけ、国外追放をほのめかすくらいしてもおかしくないでしょう。

松原仁さんが国会で追及するというから、何も言わないわけにもいかず、しかたなく中国大使館に電話して、「すみません、ちょっとまわりがうるさいので、一応抗議しますが、でも形だけ、形だけですから。いろいろ立場もあることだし、一応抗議したってことで、一つよろしく」みたいな感じだったんじゃないかと、林さんのたよりない態度を見ていると疑いたくもなります。

勝手なことを言いたい放題言ったあげく、日本国民の生命さえ脅かすような危険かつ無礼な発言をした駐日大使に強硬な姿勢がとれないようでは外務大臣としてあまりに無能と言わざるを得ません。Ｇ７広島サミットでの中国批判に猛抗議をした中国外務省に対し、「反省するのはそっちのほうだ」と突っぱねた日本の垂秀夫在中国大使を少しは見ならってはいかがでしょう。

立憲民主党も、防衛増額法案にイチャモンをつけて鈴木俊一財務大臣の不信任案なんか出していないで、せっかく松原さんが質問したんだから、こういう事案こそ問題にして外務大臣の資格を問い、不信任案を出すべきではないのか。野党として少しはマジメにやれ。
中国及び呉江浩大使よ、そして中国に媚びる政治家どもよ、いい加減にしろ！

（2023年5月12日）

第４講　さらば立憲民主党。小池百合子･維新の共演はあるか

マイノリティしか目に入らない

ちょっと衝撃的なニュースを目にしたので、ご紹介します。野党第一党にふさわしいのはどこかという世論調査の結果を、毎日新聞（２０２３年5月22日付）は、以下のように報じました。

〈毎日新聞全国世論調査で立憲民主党と日本維新の会のどちらが野党第1党としてふさわしいかを支持政党にかかわらず尋ねたところ、「日本維新の会」との回答は47％で、「立憲民主党」（25％）に2倍近い差を付けた。「わからない」は27％。全国11の衆院比例代表ブロック別でも全てのブロックで維新が上回っており、４月の統一地方選で躍進した維新の勢いが裏付けられた〉

私の分析どおり、維新は統一地方選で大勝しました。大阪にいると維新の勢いをひしひしと感じます。山本リンダの「どうにもとまらない」という昔のヒット曲を思い出すほどです。その勢いが大阪だけで終わるのか、それとも、その他の地域に波及するのかが注目されましたが、兵庫、奈良、京都でも、関西では大きく躍進しました。衆院の補選では和歌山でも勝利。確かに、維新の勢いはいよいよ強くなっています。

〈ブロック別で維新の割合が最も高かったのは、維新が地盤とする「近畿」の7割で、立憲は2割にとどまった。「東京」「東海」も維新4割に対して立憲は3割だった。

無党派層に限ると維新は3割、立憲は2割で、「わからない」が5割。自民支持層では6割が維新、1割が立憲だった。年代別でも全ての年代で維新が上回ったが、高齢になるほど立憲との差は縮まる傾向にあった。男性で維新と答えたのは5割で立憲は3割。女性は維新4割、立憲3割だった〉

面白いのは年齢が上がれば上がるほど立憲の支持者が増えている点です。これね、私は絶対にテレビの影響があると思うんですよ。テレビのワイドショーなんかを見ていると、立憲がおかしな質問をしているのを、まるで立派なことをしているかのように持ち上げるんです。そうすると、テレビしか観ないおじいちゃんおばあちゃんは「立憲民主党は頑張っとるなあ」と思い込む。これはもうほとんどテレビによる洗脳です。だから私が言う「テレビ左翼」、略して〝テレサヨ〟が生まれるんですね。

それでも、この毎日の世論調査を見ると、立憲民主党の終焉は近いことがわかります。私が思うには、政策がいいか悪いかは別にして、維新は国民を相手に政治をしています。維新の政策には私が反対するものがいくつもありますが、一応、国民のほうを向いている。自民党も同じです。

ところが、立憲民主党という政党は国民不在です。国民全体ではなくて一部のマイノリティ、それも声高に自己主張をするノイジーマイノリティだけを見ている。例えばジェンダー平等とかＬＧＢＴのような問題には、いい悪いは別にして多くの国民はあまり興味を持っていない一方、差別をなくせと大声で主張する活動家みたいな人たちがいる。奇特なことに立憲を支えてくれているのはイデオロギーに凝り固まったそういう人たちばかりです。だから左のほうばかり向いている。やがてそれが習性になり、共産党と変わらなくなってしまった。それが〝立憲共産党〟という現象です。

だけど、そんな極端な左の人たちはごく少数です。多くの国民とはほとんど縁がない。立憲民主党は左のほうばかり向いているうちに、普通の国民が考えていることがわからなくなってしまった。だから、終わるべくして終わることになるのです。

立民を応援しているのはリベラル・ファシスト

では立憲民主党はどこで道を誤ったのか。皆さん、これ絶対に覚えておいて欲しいのですが、安倍政権時に、彼らは共産党と一緒になって平和安全法制関連法案を廃案に追い込むんだと息巻いた。左翼知識人たちや朝日・毎日などの「リベラル」なマスコミはやんややんやと連日、拍手喝采しました。それで嬉しさのあまり錯覚してしまった。「共産党と一緒にやると結構いけるじゃん」と思い込んだわけですね。

だけど選挙の結果はボロ負け。つまり国民の大多数のほうが常識があったんですね。安保法制は憲法違反だと言うけれど、でも、そんなことを言い出したら、そもそも自衛隊の存在自体が違憲ですよ。だから憲法違反にならないように特別な解釈を施しながらこれまでやってきたわけです。何で戦力を持てないのに自衛隊は持てるのか。「でも、自衛隊がなきゃ困るしなあ、理屈の前に必要は必要だ。集団的自衛権もそんな問題でしょ」と、国民の多くは冷めた見方をしていた。

その見方は決して間違っていません。むしろ集団的自衛権を違憲だと言って日米同盟を破壊するようなことをしたら、日本は中国に侵略されかねない危機的な状況になる。にもかかわらず、共産党と一緒になって違憲だ違憲だと大騒ぎするのはおかしいんじゃないか、そう考えるのが普通です。ついには山口二郎というちょっとおかしな「リベラル」政治学者が現れて「安倍に言いたい。お前は人間じゃない、叩き斬ってやる」と殺害予告までする始末。健全で常識的な国民はひいてしまうのが当然です。殺害予告した山口二郎の目つきを見て、ただならぬものを感じた日本国民の感覚は正常です。

もともと「リベラル」という英語は、「自由」「寛容」という意味です。それがいまやリベラル・ファシズムと呼んだほうがいいような状況に陥っている。これは非常に不思議な現象です。立憲民主党の支持者はリベラル・ファシストたちです。立憲民主党を熱心に応援してくれているけれど、国民の中のごく少数でしかない。国民の大半はジェンダーとかLGBTとかそういった問題より、今日明日の生活のほうが大事。物価の上昇、自然災害、北朝鮮のミサイルのほうが心配なんです。そういう圧倒的多数の声に耳を貸さず、ごく一部のマイノリティの主張を代弁して、それで国民大多数からの支持を得られるわけがない。だから、毎日の記事にあるように、維新にダブルスコアの差をつけられるんです。

〈政党支持率は維新17％（４月調査15％）、立憲９％（同11％）だった。

維新は４月の統一地方選で、地方議員を改選前の１・５倍に当たる６００人に増やす目標を掲げて全国各地に候補者を擁立し、目標を大幅に上回る７００人以上を当選させた。馬場伸幸代表は14日の臨時党大会で次期衆院選で野党第1党を目指すとし、「すべての選挙区に候補者を擁立する方針で作業を加速したい」と表明した。

立憲の泉健太代表も10日の党会合で次期衆院選で、現有議席の１・５倍に相当する１５０議席以上を獲得できなければ代表を辞任する考えを示すなど、背水の陣で野党第1党の座を守り抜く構えを見せている〉

申し訳ないけれど、どんなに泉健太さんが頑張ろうと、１５０議席以上を獲得するのは無理です。国民から相手にされていないんだから。これは泉健太さん個人の問題じゃありません。例の蓮舫さんとかが、やれ泉さんの覚悟が足りないのなんのと難癖つけてまたぞろ内紛になっていますけど、私に言わせれば、そうじゃないんです。泉健太という人がどれほどの覚悟でいようが何をしようが、逆立ちしたって勝てないんですよ。政党の存在そのものが国民にバカにされているんです。「わっ立憲民主党だって。まだあったの？」「もういいよ、やめとけやめとけ、１５０議席なんて無理だから」。みんなそんな感じですよ。

立憲民主党と聞いただけで嗤われている現実に気づいた方がいい。だから、大阪にはもう立憲民主党の国会議員はほぼいません。

私は日本全体が大阪化していくと思います。そして野党第一党が維新になるのも時間の問題です。一部のノイジーマイノリティを相手にするという立憲民主党の考え方もわかりますよ。マイノリティだって国民だという意味においてはね。だから大多数の国民が忘れているような課題を取り上げたいという政治家がいるのは大事なことだし、国会議員の中にそういう人たちが一定数いるのは望ましいことです。しかし、野党第一党が第一に掲げる政策目標がジェンダーとかＬＧＢＴというのはいかがなものでしょう。それに無関係・無関心な大多数の日本国民を置き去りにしてそんなことを言っても「知らんがな」で終わりですよ。

立憲民主党が政権を取るどころか、野党第一党の座を守るのもほぼ無理。国民はもう見放しています。世の「リベラル」政治学者に言いたい、「お前はもう死んでいる」と。もうあなたたちの出る幕じゃない。国民の方がずっと賢いんです。中国がこれだけ肥大している中で、憲法９条を守っていればいいとか、アメリカとの同盟関係を解消しようとかいう考えがどんな結果をもたらすか、国民のほうが「リベラル」の政治家や学者よりも分かっているんですよ。国民の常識を舐めちゃいけない。

確かに、国民は時に誤った選択をします。その結果、民主党政権ができました。鳩山・菅というどうしようもない政治家を首相にしてしまった。それでも戦後の日本は繁栄してきた。それは保守政党である自民党が主として政権を担ってきたからです。革新政党と言われる旧社会党などの言うことは嘘っぱちだと思っていた国民のほうが多いからなんですよ。

60年安保反対のデモ隊が国会前で警官隊と衝突して大騒動になった時、当時の岸信介総理は「今日も後楽園球場は観客でいっぱいだ」と言いました。つまり安保反対を叫ぶデモ参加者は国民のごく一部に過ぎないという意味です。現に、日米安保が自然承認されると、あれほど激しかったデモは潮が引くように消え失せました。その後の日本の繁栄はご覧のとおりです。国民にはまあ政治は自民党に任せておいたほうがいいだろうという判断があった。それで日本の戦後の平和は守られてきたんです。

だからそれに代わる政党であろうとするなら、ある程度、現実主義的な安全保障政策を持っていなきゃダメです。立憲民主党にいちばん足りなかったのは安全保障政策、真面目で現実的な安全保障政策と言っていいかもしれません。これが全く欠けていた。

労組は立憲民主党を支持しているとおっしゃる方もいるかもしれませんが、私の知り合いの労組の幹部は、選挙時に組合としては立憲民主に入れてくれと言うけれど、彼自身は入れないそうです。労組の中にもそういう人たちはけっこういるんだと思います。維新に期待しているのはそういう人たちでしょう。

しかし、維新に問題が無いわけではありません。私は維新の大きな問題は何かと言ったら、鈴木宗男参院議員だと考えています。

鈴木宗男は維新のアキレス腱

産経新聞（2023年5月21日付）の記事によれば、鈴木宗男氏はG7サミットに「失望する」と語り、こんな主張をしています。

〈日本維新の会の鈴木宗男参院議員は21日、自らのブログで、広島市で開かれていた先進7カ国首脳会議（G7広島サミット）について「G7で『一にも二にも停戦ん（ママ）だ。お互い銃を置け。我々が仲介に入り両方の話を聞く』という声が出なかったことに失望する」と書き込んだ。さらに鈴木氏はG7首脳がウクライナ支援の継続で一致したことを念頭に

「ウクライナに武器を出すことは良しとし、ロシアに武器等協力するのは怪しからん（ママ）というのはなんとも身勝手な話ではないか」と批判。「G7がせっかく日本で開かれたにもかかわらず、ウクライナ戦争を終わらせるのではなくこのまま長引く方向に進んでいることを心から憂うる次第だ」とした。また、日本の対露外交に関しては「日本の置かれている地政学的条件、さらには最大のウィークポイントであるエネルギーの安定供給、国益にかかわる平和条約交渉等、日本はロシアと対立している時ではない」との見解を示した〉

私、何度も申し上げていますけどね、こんな主張をするのはもうほとんどロシアのエージェントですよ。だって、一に二にも停戦だと言うんだったら停戦しなくちゃいけないのはロシアでしょう。侵略しているロシアが軍を引き上げればいい、「さっさと帰れ」というだけの話です。「お互いに銃を置け」と言うのはおかしいですよ。「我々が仲介に入り両方の話を聞く」というこのバカバカしさ。何なの、それ。

国際法的に考えてみると、人類は戦争を違法化する方向にずっと進んできました。第一次世界大戦、第二次世界大戦を経て、国境を力によって変更をしてはならないというルールを国連で決めました。ですから敵が攻めてきた時には個別的自衛権を行使する。これは当たり前のことですね。そして集団的自衛権の行使。例えばウクライナがもしＮＡＴＯに入っていたとしたらＮＡＴＯの国々が集団的自衛権で応援してくれたはずです。

そしてもう一つが集団安全保障で、これはどこか一カ国が他国を侵略したら、世界中がその国に制裁を加えたりして戦争を終わらせるということです。

ウクライナの場合、現実的なのは個別的自衛権、集団的自衛権ですね。集団安全保障は国連で拒否権を持つロシア相手では機能しません。同じ拒否権を持つ中国相手にも機能しない。とすると個別的自衛権、集団的自衛権しかないんです。

個別的自衛権を行使するというのは合法なんですよ。悪いことじゃないんです。だから「お互いに銃を置け」と言うのは完全に間違っている。一方は侵略者、一方は国際法に則って当然の権利を行使しているんですから。

銃を持った犯人が発砲した。それに対して警官が銃で反撃したとします。この時、お互いに武器を置けっていうバカがいますか。犯人が銃を捨てて投降するのが当たり前でしょ。そうでなければ法が守られないじゃないですか。「わかった、わかった、お互いの気持ちはよくわかる、まあここらへんで手を引いて仲良くしたらどうだ」と、こんなアホな話が成り立つかっていうことですよ。

私が維新に対して不信感を抱くのは鈴木宗男氏を除名しない点です。バカなことを言うなと止めるべきなのに、言いたい放題でしょう、この人。こんなロシアのお先棒を担ぐような、国益を害する政治家は日本の政治家ではない。むしろロシアの代理人そのものじゃありませんか。

銃を置けも何も、まずロシアが撤退する、そこから話は始まるんです。仮に、ロシアの撤退後にゼレンスキー大統領がモスクワに攻めこむとかいきなり言い始めたら、それはやめとけ、もう銃を置けと言うのなら、これはわかる。だけど現時点でお互いに銃を置いたら、いまロシアが占領している地域はロシアのものだと認めることになります。戦争を終わらせることが全てに優先するのではない。

ロシアは国際法を守らなければいけない。法に違反しているんだから。ところが、その違法行為を擁護しているのが鈴木宗男さんの主張なんですね。「泥棒万歳。強盗万歳。警察は銃を置け」——これが鈴木宗男さんの論理です。日本人は喧嘩両成敗という言葉が好きだからまあまあと言いたがるけれど、ウクライナ戦争に関してはそれは通用しない。国際法を守るという立場からウクライナを支持する以外の選択肢はない。ウクライナが自分たちの祖国を守るために戦っているのは非常に立派なことだと私は思います。

それをジッと見ているのが中国です。ウクライナは小国だからロシアがあっというまにひねりつぶすかと思ったらそうでもない。国際世論もみんなウクライナを応援している。これは「我々が台湾や日本にうかつに手を出すとちょっとまずいな」と考える。そういう抑止的な効果を含めて総合的に考えれば日本の国益はウクライナ支援以外にない。これがわからない人は国際政治を語る資格がありません。はっきり言って愚か者です。

維新はこういうデタラメな外交路線を主張する鈴木宗男議員を放置していると、立憲民主党の二の舞になります。維新に票を入れたくても「えー、ロシアを応援するわけ？」と敬遠される。国際社会からもそういう目で見られますよ。鈴木宗男議員を党の要職につけておくのは維新にとって大きなマイナスだと私は思います。

百合子は怖い

さて、そんな維新が新しい動きを見せるのではないかという記事が週刊ポスト（2023年6月2日号）に掲載されました。あくまで推測記事ですけれども、ご紹介したいと思います。簡単に要約するとこういうことです。

〈統一地方選で維新が躍進した。維新の勢いが止まりそうにないから、岸田政権としては維新の体制が整う前に解散総選挙に持ち込みたい〉

その通りだと思いますよ。だから私は、岸田総理は広島サミットにゼレンスキー大統領も呼んで、このタイミングで解散に打って出るのだろうと思っていました。というか、私がもし総理大臣だったら解散総選挙していましたよ。だってこれ以上のタイミングはないでしょ。まだ維新の準備が整っていない。内閣の支持率は高い。サミットで外交的な成果も見せた。

いまなら勝てるという時に解散を打てるから、首相が解散権を持つのはいかがなものかという議論はあるんですけれど、でも現在の日本では、首相が好きな時に解散を打っていいことになっているから、衆議院に関しては「いつ解散するか。今でしょ」ということになる。だから私は解散は早いと見ていました。

このタイミングで解散総選挙を打っておけば、維新は全選挙区で候補者を擁立することは出来ませんでした。時間が経てば経つほど維新は総選挙への対策を講じることが出来ます。孫子の兵法ではありませんが、兵は拙速を尊ぶ。スピードが大事でした。しかし、岸田総理は決断できなかった。首相秘書官であるどら息子が首相公邸で馬鹿騒ぎをして国民の顰蹙（ひんしゅく）を買う。なのになかなかどら息子を更迭しませんでした。ここで解散できなかったことを私はあえて「翔太郎ショック」と名付けたいと思います。政治学者として歴代の内閣を観察してきましたが、どら息子のために解散を打てなかったというのは岸田総理ただ一人です。岸田翔太郎はある意味で歴史に名を刻んだのかもしれません。

そんな中、ある情報が永田町界隈で飛び交いました。小池百合子都知事と維新が手を組んで一気に政権交代を目指すと言うのです。荒唐無稽なうわさ話と言えばそれまでですが、必ずしもその可能性はゼロとは言えません。小池都知事は現在二期目。三期目を狙うとの噂もありますが、彼女自身は国政への未練が断ち切れていないともっぱらの噂です。

小池さんは、安倍元総理の回顧録にも書いてありましたけど、とにかく上昇志向が強い人です。「私は東京都知事なんかじゃ終わらない。いつか日本初の女性総理に」と考えている可能性が高い。だから維新の勢力は魅力的でしょう。問題は小池さんと維新がどこまでバランスが取れるかです。小池さんにかつての人気があれば、維新としては全国的に有名な小池さんと組んだほうがいいなと考えるかもしれないけれど、どうか。現在の日本維新の会の馬場伸行代表は人格者であり、苦労人です。しかし、全国的な知名度が高いとは言えない。東京都内で馬場さんが一人で歩いていても誰も気づかないかもしれない。しかし、小池東京都知事は違います。圧倒的な知名度があります。良くも悪くも有名人です。政治の世界では悪名は無名に勝ると言います。誰にも知られない善人よりも、皆に知られる悪人の方が有利なのが政治の世界なのです。

それから、維新の音喜多駿参院議員は以前、「都民ファーストの会」で小池さんの部下でした。今後、果たして仲良くやっていけるのでしょうか。まあ昨日の敵は今日の友というのが政治の世界だとするならばあり得なくもないですけどね。お互い腹の中ではどう考えているかわからなくても、表向きは笑いながらよろしくお願いしますと握手することだってあるわけですからね、政治の世界は。

〈統一地方選で維新は東京でも躍進しました。市区議選で67人を当選させたのです。小池都知事率いる都民ファーストには都議26人、市区議44人が所属しています。二つが合流すれば大きな力になるのは間違いありません。そして、小池百合子都知事の知名度が加われば一気に自民党を脅かす勢力となるでしょう〉

関西における維新の勢いは相当なものです。大阪だけではありません。おそらく奈良でも大きな力を持つはずです。なぜなら最近当選した奈良の山下真県知事は維新ですから、これはやっぱり強いですよ。奈良で維新が出るなら一区、二区、このあたりですね。特に奈良一区でしょう。維新は都市部で強いから、自民党もけっこう危ないんじゃないでしょうか。奈良でも三区とか田舎のほうに行っちゃうと、まだ維新の力は及ばないかもしれませんが。でも奈良三区のような腐敗した世襲選挙区では、維新の躍進に期待したいですね。許すべきではない国賊がでかい顔している地域です。

小池さんといえば、国政で政権奪取を目論んだこともありました。希望の党の結成です。当初は本当に勢いがありました。私のよく知る自民党の国会議員も「これで野党落ちか」と肩を落とすほど勢いがありました。勢いが削がれたのは排除の論理を掲げてからです。要するに、憲法や安全保障の問題で意見が大きく異なる人たちとは同じ政党にいられないと表明したわけです。これによって、マスコミから袋叩きにあい希望の党は「失望の党」に変わり、やがては「絶望の党」に到ります。

でも私はこの排除の論理が良くないとは思いませんでした。安全保障の問題で全く意見の違う人たちと同じ政党を作るほうが不気味です。小池さんを私はほとんど評価していませんが、枝野幸男さんのような集団的自衛権のことを何もわかっていない人たちを排除したことは正しかった。このことは高く評価しています。残念だったのは、希望の党からではなく、こういうデタラメな政治家を選挙の際に国民の手によって国会から排除すべきだったことですね。まあ時間はかかりましたが、立憲民主党の崩壊が近づいていますから、そのうち皆さん排除されることになるでしょう。

維新と小池百合子さんが組むということは今の段階では荒唐無稽な話なんですけれど、でも、絶対ないとは言えない。政治というのはそういうところまで考えておかなくちゃいけないわけですね。「ないない」ということが実際に起きるということがある。

例えば小池さんが都民ファーストの会を作る前、とある勉強会で私が「小池新党を作って自民党を脅かすつもりじゃないですか」と言ったら、「ないない、そんなことありえない。自民党と正面からぶつかるなんて、そんな無謀なことしないよ！」と田原総一朗さんが怒鳴っていました。でも作ったでしょ。けっこう奇想天外なことをするんですよ、小池百合子さんという人は。何をするかわからない。だから、百合子は怖い。

ちなみにうちの妻も百合子っていうんですけどね。「百合子は怖い」と、こういう結論になります。

最大のネックは橋下徹

自民党がどう出るか分かりませんが、維新は必ず攻勢をかけるでしょう。その時にネックになるのが、先述したように一つは鈴木宗男議員の問題ですが、最大のネックは鈴木さんじゃなくてむしろ橋下徹さんじゃないかと思います。

橋下さんの意向をどこまで忖度しなくちゃいけないのか。

一応創業者ですからね。維新は橋下氏のコントロールから抜け出せることができるかどうか。いつまで経っても「橋下さん、橋下さん」ということでやっていたら、やっぱり維新はそこで止まってしまうだろうと思います。国政政党として大きくなっていくためには、やっぱりもう一段階ステップ・アップする必要がある。結局、橋下さんは国政に行ってないわけですからね。

この間の統一地方選で維新の奈良県知事が生まれた。京都、兵庫でも維新フィーバーが起きている。東京でも一歩進むことができた。じゃあ国政選挙でどうなるか。

衆院選でどれぐらい議席数の増加を見込めるか。これはもう立憲民主党を相手にしても仕方ないわけですが、さりとて自民党と組むわけにもいかない。とするならば、どこと組むか。そう考えると、小池百合子さんというのは一つの選択肢です。小池さんはポピュリストですから、右から左までどこにでも行ける人なんですよね。かつては自民党にいたわけで、一時はタカ派で核武装論者として知られていた人ですから、立ち位置としてはまあ根っからの左翼ではないんですよ。

いずれにしろ、選挙で勝たなければしょうがないわけですから、そのためにはどうしたらいいかといえば、まず全選挙区に維新の候補者を立てる。相当お金もかかるでしょうし、人材発掘も大変です。かかしでも誰でもいいから立ってくれというわけにはいかない。立候補したいという中には、へんちくりんなのもけっこう混じってくるだろうとは思います。

立憲民主党のように、「憲法審査会を毎週開くなんてサルのやることだ」と言った小西洋之さんとか、落選したにもかかわらず相手の票数を減らしてやったとか喜んでいる有田芳生さんみたいな人たちを抱えたらもう話になりません。維新がどう出るか、楽しみに見ていたいなと思っています。

私は決して特定の政党を熱狂的に応援するものではありません。ＬＧＢＴ理解増進法については自民党を批判しています。維新についても、都構想など本当に必要なのか、夫婦別姓に賛成しているけれど、本当にそれでいいのかとか、疑問に思うことは多々あります。

だけどまあ基本的には私は政権交代というものがあったほうがいいと思っています。一つの政党がズーッと政権を握っているとイノベーションができなくなるということは絶対的事実としてある。言い古された言葉ですが「権力は腐敗する」のは事実です。それでも、立憲民主党が政権を奪取することは太陽が西から昇らない限りあり得ない。かつての民主党のような政党が政権を取ったら国が滅びますから。今後の維新の動きについては注目し続けたいと考えています。

維新の出現まで政権交代が不可能であったのは、自民党が強かったからではありません。立憲民主党をはじめとする野党が余りにふがいなかったからです。共産党と一緒になって選挙を戦うような連中に政権を渡すわけにはいかないのです。

極左の立憲民主党よ、いい加減にしろ！

（２０２３年５月22日）

第5講　自公連立崩壊でやっと憲法改正が見えてきた

「10増10減」が生んだ問題

ここでは、今後の解散総選挙に大きな影響を与える、政界を揺るがしたニュースを取り上げます。

その基礎知識として、まず「10増10減」についてご説明しましょう。「1票の格差」という言葉をお聞きになったことがあると思います。いま仮に100人が住んでいるAという町と、1万人住んでいるBという町があったとしましょう。そして、総選挙の際にはA町から当選者を1人、B町から10人の当選者を出すことが出来るとします。A町の議席数は1、B町の議席数は10ということです。一見するとB町の方が優遇されているように見えます。10人も国会議員を選出できるのですから。

しかし、この状態では1票に大きな格差が生まれていることになります。なぜかと言えば、A町では100人あたり1人の国会議員が当選するのに、B町では1000人当たり1人しか国会議員が当選できないからです。逆に言えば、A町では100票取れば満票で当選するのに、B町では100票ではとてもじゃないが当選はおぼつかない。つまりA町の有権者の1票のほうがB町の1票より重いということになる。

これでは選挙が公平に行われたことになりません。日本国憲法では「1票の格差があってはならない」と規定されています。そこで、格差是正のために、人口の多い都会の議席数を増やし、人口の少ない地域の議席数を減らしていくことになります。すると、どうなるか。都会の意見ばかりが通って、田舎の意見は政策に反映されない、いわば無視されることになります。

だから、「1票の格差」というのは非常に難しくて、どうするのが正しいか、簡単には答えが出せない問題なのです。それでも、2022年11月に衆議院の小選挙区の数を「10増10減」とする改正公職選挙法が定められ、これ以降、公示される衆議院選挙から適用されることになりました。人口の多い5つの都と県で小選挙区を合計10増やし（10増）、10の県で1つずつ、計10減らす（10減）ことにしたのです。また、10の道府県では、数はそのままでが線引きが変更されるので、合わせて１４０もの選挙区の区割りが変更さることになります。

つまり、いま解散総選挙となったら、この新しい区割りによって投票が行われることになるわけです。

世界のマンモス都市・東京は5つも増えるので非常に面倒くさいことになるのですが、減る県だって面倒なことが起こります。たとえば、ご存じ安倍元総理のお膝元・山口県です。亡くなった安倍元総理の山口県第4選挙区の補欠選挙で、安倍昭恵さんの推す吉田真次氏が4月に当選したばかりですが、「10増10減」によって、山口4区は廃止になりました。じゃあ、次の解散総選挙ではどこから出るのかということですが、吉田さんが希望した山口3区には、現外務大臣の林芳正氏がいます。林さんは「ここはワシのものじゃ」とばかり、デンと居座って動きません。確かに林さんは、地元の選挙に強いんですよ。それで、せっかく当選した吉田さんは比例代表に回ることになりました。どちらが日本国の政治家として適任かと言えばそれは吉田真次さんの一択です。林芳正さんではありません。

一方、選挙区が増える東京都では、とてつもなく大きな問題が起きました。

東京は、新たな区割りが行われたうえで従来の25選挙区から30選挙区に増えることになりました。そして、その中の練馬の新28区に公明党が候補者を立てる意向を明らかにし、これに自民党が難色を示したのです。「いや、ここはウチから候補を出すつもりです」というわけですね。すると公明党は、「それなら、東京のすべての自民党候補者を推薦しない」と言い出しました。つまり、東京での選挙協力は一切しない、創価学会は自民党候補を応援しないぞというわけです。

公明党の恫喝じみた動きに対して自民党はさらに反発を強めます。なかなかお互いの溝は埋まらずに、公明党の石井啓一幹事長は「東京での自公の信頼関係は地に落ちた」と発言。お互い意地を張り合って後に引けなくなってしまいました。ちなみに石井さんは温厚な人で知られているそうで、「あの石井さんが、そこまで怒っているの！」と関係者に衝撃を与えたと言われています。

この自公の不協和音をどうとらえるかは人それぞれでしょう。「よっしゃ！　ようやく自民党は公明党と切れた。よかったよかった」と踊り出す人もいるかもしれません。私なんかも、公明党と連立を組んでいるといつまでたっても憲法改正ができないと思っていますから、それはそれで歓迎したい気持ちもあります。

しかし、まずはなんでこういうことが起きたのかという現実的な分析が大切です。評価はそれからです。自公の連立に亀裂が走った根本的な要因は何か。それは、大阪の情勢が変わってきたことにほかなりません。

大阪の首長を押さえた維新の戦略

大阪というところは、自民党と公明党が仲良くやっている地域では決してありません。ここでは、公明党は実は維新とうまくやっていたんです。大阪は知事も市長も維新です。権力者に寄り添うのが得意な公明党は、当然、維新に取り入ろうとします。「『大阪都構想』に賛成するかわりに、総選挙の際、協力しましょう。この選挙区にはうちが候補者を立てますから、維新は遠慮してくださいね、そうしたら公明党は都構想には賛成しまっせ」という約束を取り交わしました。

公明党は自民党と連立を組んでいますから、その選挙区には自民党も候補者を立てられない。するとどうなるか。自民も維新も出ない選挙区では、公明対共産という悲惨な戦いになるわけです。皆さんなら、どっちに入れますか。どっちにも入れたくないという人がほとんどでしょうが、まあ、どちらか選べと言われたら公明党でしょう。そういう状況が長く続いたので、大阪、関西では、公明党はある程度の議席数を確保することができた。実は、ここが大きなポイントなんです。

小選挙区制度というのは、自民党や立憲民主党のような大所帯の政党が制度設計的にめちゃくちゃ有利な制度です。だから、論理で言えば自民党と立憲民主党の二大政党制に向かうはずなんです。これが政治学の基本中の基本です。ところが、日本では現在、そうなっていないというちょっと不思議な現象が起きている。

そういう状況の中で、今後のカギを握るポイントが二つあります。

一つは、維新の会が大阪で大きな力を持っていることです。維新は大阪の府知事・市長という地域の首長をまず押さえました。そうして橋下徹、松井一郎、吉村洋文という有名人を前面に出して大阪でどんどん地方議員を増やし、自民支持者の切り崩しを行って、大阪で盤石の基盤を作り上げました。だから、大阪では与党は維新の会であって、自民党なんかもはや弱小野党扱いです。

いったんこういう状況になってしまったら、これを変えるのは大変なことです。どんなに変えようとしたって一朝一夕には変わりません。地方選挙レベルからテコ入れしなければば無理です。大阪では国政選挙で自民がいきなり大勝するということはあり得ない。維新という小政党が大阪という大都市の小選挙区で勝てるというのは、理論的に非常に不思議な現象ですが、原因は首長をがっちり押さえ、地方議員を次々に当選させた点にあります。

もう一つは連立与党である公明党の存在です。

公明党は、巧みに巨大政党とくっついたり、離れるふりをして、小選挙区を分けてもらうという恩恵を得てきました。公明党だけの力で小選挙区を戦おうとしたら、対立候補として自民が出てくる、立憲も出てくる。とても勝つ見込みはありません。だから、この選挙区では、自民は候補を立てない、大阪なら維新が候補の擁立を見送ってくれる、そういう約束を取り付けるわけです。公明党はそうして巧みにバランスを取りながら小選挙区でそれなりの議席を確保してきました。

ところがいま、大阪における維新と公明のパワーバランスが崩れ始めました。原因はたった一つです。維新が大阪市議会で過半数を取ったからです。維新にしてみれば、もう公明党に頭を下げて「都構想」の協力をお願いする必要はない。ということは、公明党に遠慮も妥協もすることなく、総選挙の際には各選挙区で候補者を立てることができるということです。

維新が小選挙区で候補者を立ててきたら、公明党が大阪の小選挙区で勝つのは非常に難しい状態になります。はっきり言って公明党は負けるでしょう。じゃあ、その分をどこで取り戻すかといえば、「10増」で新しく増えた東京の５選挙区です。そこに自民は出ないように頼んで、大阪で数議席失ったら東京で数議席取り返せばいい。そうして現有議席を確保したいというのが公明党の本音でしょう。

ヘタをしたら、公明党はボロ負けして政党が壊滅の危機に瀕することになりかねない。東京で増えた選挙区を我々に譲れと自民党に迫ったのは公明党の危機感の表れなんです。ところが、自民党は嫌だと言った。だから、「そんなこと言うんだったら、もう東京では自民党なんか応援しない！」とへそを曲げてしまったんですね。

変わる勢力図

はっきり申し上げて、これは自公連立政権の危機であり、かつ維新大躍進の前ぶれかもしれません。公明党の協力が得られなくなった自民党というのは割と弱いですから、そこに維新がバンバン入ってきて、大阪における維新の勢いが東京に及べば、これは勢力図が相当に変わってきます。

万一、維新が東京でそれなりに議席数を取り、公明党は小選挙区で東京でも大阪でも議席数が取れないという状態になったら、公明党は存立の危機を迎えるでしょう。ただし、そうなった場合でも、公明党の支持母体である創価学会が集票マシンであることに変わりはありません。そのとき、興味深いのは、学会が自民党をどれくらい応援するかということです。維新を応援するということはないでしょうし、立憲民主党とくっつくわけはないから、やはり自民党とやっていくしかない。果たして自民党と公明党の連立がこれまでのように円滑に進むかどうかはちょっと見通せない状況になります。

そうなると、小選挙区制であるにもかかわらず、二大政党制に移行しないという政治学的に珍しい日本の現状が、少しずつ変わってくるかもしれません。自民と維新の二大政党制が現実味を帯びてくるんです。

だから、政治学的に見ると面白いんですね。二大政党制になることが必ずしもいいわけではありませんが、これまで二大政党制への移行を阻んできた維新と公明が、かたや維新は急成長し、公明党は勢いに陰りが差してきた。さらに、どうでもいいことですが、立憲民主党は誰からも見放されて消えてゆく。そうして、自民と維新の二大政党時代が近づいてくるわけです。では、維新はどうしてここまで強くなったのか。それを分析しておく必要があるでしょう。

一つは、先ほど申し上げたように、大阪の首長を押さえたことです。ただ、この大阪における勢いが直ちに全国に普及することはありませんでした。その状況が変わったのは、維新に２人いる参議院議員、音喜多駿議員と柳ケ瀬裕文議員の東京組が目立つよう、あえて重要なポストに就けてからです。

つまり、音喜多さんを政調会長に、柳ヶ瀬さんを総務会長にした。そして党内から不満が出ないように大阪の若手の藤田文武衆議院議員を幹事長にしました。藤田さんは、若いですが将来が有望な政治家の一人です。戦略的であると同時に人間性もよいので、維新の政治家と話していると皆さんが藤田さんを褒めています。政治の世界では頭がいいだけでは駄目です。東大法学部出身の宮澤喜一元総理が典型的ですが、性格が悪いと誰もついてこないんです。頭がよくて、かつ、人柄がよくなければいけない。ちなみに頭の良さと人柄の良さ、どちらか一つを採れと言われたら、政治家にとっては人柄の良さの方が求められますね。頭がいいだけでは選挙に受かりません。この維新の人事、誰が考えたのか知りませんが、維新には頭のいい人間がいると見えます。完璧な人事です。

政調会長として音喜多参院議員が目立つようになれば、彼が東京の顔になって、維新は大阪のローカル政党ではないというアピールになる。参議院の任期は6年。解散はありませんから6年間、ずっと選挙の応援に行き続ければ、統一地方選でもある程度勝てるだろうという見込みがあったはずです。現実に、東京でも維新は躍進しています。勿論、音喜多参院議員が衆院選に鞍替え出馬する可能性もあります。それでも維新の政治家が東京で注目されるということが重要です。大阪のローカル政党ではないというアピールになります。

さらに言うならば、自民党への不満を抱える東京の保守層の票を吸い上げたのが維新でした。東京の選挙区では、自公の選挙協力によって、自民党の候補者が立たず、公明党と共産党の候補者くらいしかいない地域があったわけです。大阪では維新も公明党とバーターしていましたが、東京ではそれがない。そういう選挙区で、維新は東京で票を伸ばしていきました。たとえば前回の衆議院選挙で当選した阿部司議員も、自民党候補のいない、公明党と共産党が出ている地域から出馬しました。

従来、自民党に入れていた有権者たちが連立与党の公明党に100％投票するかといったら、そんなことはあり得ません。しかし、公明党支持者は逆です。この候補者に入れろって言われたら、１００％そのとおりにします。この選挙区は自民だって言われたら、全員自民党に投票する。それが公明党の強さであり、ある種の狂気です。この結束力の背景には、皆さんご存じの通り公明党には創価学会という絶対的な母体があるからです。共産党も、もちろん鉄の結束による組織力があります。

自民党を支持する組織の中にも、霊友会など宗教団体はありますよ。しかし自民党の中には宗教や各種団体と無関係な人もいます。私のように保守的な考え方の人とか、野党のお粗末さに絶望している常識人などが中心です。だから、「公明党に投票してくれ」と言われても、「えー、なんでー。だって公明党って憲法改正に反対しているじゃん」とか「公明党って創価学会の関連団体でしょ、大丈夫なの？」と思っている人がいっぱいいます。そういう人たちは、「公明党に入れるのはちょっとイヤだな、ここは維新に入れておくか」ということで票が流れていくことになります。

そうやって考えてみると、今回のように、東京で自民党と公明党がもめればもめるほど、仲が悪くなればなるほど、「漁夫の利」で維新が有利になってきます。岸田総理が早期の解散総選挙を見送ったのは、公明党との関係を修復しないと東京で惨敗する恐れが出てきたのも一つの理由だと考えられます。しかし、いったん地に落ちた信頼関係を取り戻すのは並大抵なことではありません。

だから、解散総選挙があった場合には、最大の焦点は、維新がどこまで票を伸ばすかということ。それから公明党と立憲民主党がどれだけ票を減らすかというところがポイントになると思います。維新がどれだけ票を増やせるかはどれだけ候補者を擁立できるかにかかっています。いくら勢いがあったって、候補者が少なければ、そりゃダメです。宝くじは買わなければ当たりません。選挙も同じで立候補する人が少なければ、勝てないんです。

私がもし維新の選挙参謀をやるとしたら、東京に集中して候補者を擁立します。それから全国展開です。それから小池百合子という女帝をどうするかという問題もでてくるだろうと思いますね。都民ファーストも、自公の関係がどうなるか、ジッと見ているはずです。百合子を決して侮ってはいけません。百合子は怖い。

大都市で維新が強い傾向がありますね。浮動票が多いのが大都市の特徴です。だから、東京が狙いめということになる。それでは、東京、大阪、と並ぶもう一つの大都市の名古屋はどうでしょうか。名古屋はちょっと特殊です。あの河村たかしさんという変わり者の市長さん、あの人がちょっとややこしい存在なので、とりあえず東京一極集中です。え、立憲民主党ですか？　あの党には誰も期待していませんから。いや、注目している人がいるとしたら、いったいどれだけ議席数を減らすか楽しみにしている人だけでしょう。早く消滅してくれないかな、誰が落選するかなってワクワクしている有権者はいるでしょうね。

自公のバトルはケガの功名となるか

今回の公明党と自民党のバトルはけっこうマジですよ。これがどんな波及効果をもたらすか、冷静に分析する必要があります。

維新が伸びて、公明党が衰退する。これを憲法改正という視点から見るとどうなるでしょうか。憲法改正を悲願とする私の価値観で言い換えれば、憲法改正を実現するためにはどういう状態が望ましいかということになります。

公明党の推薦がなくなれば、創価学会の応援がなくなりますから、おそらく自民党の議席数は減るでしょう。だけど、維新が弱体化した自民党と連立を組むことはないと思います。与党になってしまったら、もはや改革政党とは言えなくなりますから、維新だったらたぶんしないでしょう。もちろん、情勢によりますけれどね。本当に究極の選択として大連立を実現しなければならないという状況になったらするかもしれない。だけど、現状ではまずないでしょう。

おそらく維新は是々非々でいくはずです。だから、憲法改正を「是」とするように自民党が維新を巻き込めば、いよいよ憲法改正が実現する可能性が見えてくる。自民と公明がぶつかったことは、自民の議席減、維新の議席増をもたらし、その結果として憲法改正に一歩近づくと言えるでしょう。

これまでは自民と公明の連立が揺らぐと、かつては民主党、現在では立憲民主党が有利になったんですけれど、もうそういう時代ではなくなりましたね。逆に立憲民主党が一掃されることになるんだろうと思います。私の周りでも、熱心な立憲民主党の支持者ってほとんど聞いたことがありません。労組系の活動家の中にはいるのかもしれませんが、一般の人で何が何でも立憲民主党という人はごく少数でしょう。

いまとなっては信じられないかもしれませんが、かつての民主党政権時代は、菅直人元総理って、すごく人気があったんです。いまでは〝スッカラ菅(カン)〟と言われていますけど、当時はまさにスターでした。若い人は信じないでしょうね。あの鳩山由紀夫さんだって元総理大臣で、オバマ米大統領に「トラスト・ミー」と言って失望されたことで有名ですが、大変な人気でした。こういう民主党時代のスターが、もはや立憲民主党にはいません。

立憲民主党も、お笑い方面では人材は豊富ですよ。小西洋之さんを筆頭に、最近では、高市早苗氏に「だったら質問しないでください」と言われて泣きそうになった杉尾秀哉さん、衆議院山口4区補欠選挙に出馬して開票と同時に落選、敗戦の弁を語るテレビ中継も途中で切られてしまった有田芳生さん、手当てを「テトウ」と読んだ田島麻衣子さんなどが大いに笑わせてくれています。小川淳也さんや蓮舫さんも健在です。この間も、「うわぁ、蓮舫さん、またツイッターで泉健太代表をいじめてる」と話題になりました。

泉健太さんは「なぜ同じ党の仲間なのに、こんな批判のツイートをするのですか」と投稿しましたが、答えてもらえなかったようなので、私が教えてあげます。それは「蓮舫」だからです。ついでにいろいろ教えてあげましょう。立憲民主党はなぜ有権者から見放されたのですか。立憲民主党だからです。どうして我々の政策って国民に刺さらないんですか。だって立憲民主党だもの。どうして我々のところに優秀な人間が集まらないんですか。だって立憲民主党だもの。「だって立憲民主党だもの」ですべて説明できてしまいます。反論したって「のび太のくせに生意気だぞ」の世界ですね。批判されているうちが花だったというものです。もうすでに徒花（あだばな）かもしれません。

自民と維新とで憲法改正が具体的になったとして、その時には「9条を守れ」と叫んで大騒ぎする「元立憲民主党」の皆さんは、果たしてどれだけ残っていらっしゃるでしょうか。

ご愁傷さまです、チーン。

立憲民主党よ、いい加減にしろ！

憲法改正に反対する者どもよ、いい加減にしろ！


（2023年5月25日）

第６講　山本太郎、望月衣塑子ほか――「リベラル」はなぜ攻撃的なのか

東京新聞の社としての責任を問う

政界・メディアには「リベラル」と称する、あるいは称せられる人々が数多く生息しています。そのこと自体はけっこうなことですが、それらの人々は自ら「平和主義者」を以て任じています。「平和憲法」を何よりも大切にし、「戦争反対」を唱え、憲法改正を全力で阻止しようとするのもそのためです。

ところが、そういう人たちに限って極めて攻撃的で暴力的であるという、摩訶不思議な現象が現代の日本社会には見られます。それはいったいなぜか。今回はその問題について考えてみたいと思います。

これが共産主義者であれば何の不思議もありません。共産主義は暴力革命を最終目標と

しているわけですから、攻撃的・暴力的なのは当然です。ロシア革命の指導者レーニンは「共産主義革命は暴力抜きになし得ない」と言っています。中国共産党の毛沢東は「革命は銃口から生まれる」と言いました。現代でもアントニオ・ネグリというイタリアの左翼活動家は「暴力なしに革命が起こせるというのは幻想だ」と断言していますから、革命を夢想するマルクス主義者が暴力を肯定するのはよくわかる。

では、自衛の戦争すら否定する自称平和主義者のリベラリストはなぜ暴力的なのか。

2023年6月8日付の産経新聞にも、そういうリベラリストたちの行動を報じる驚くべきニュースが載っていました。まず「東京新聞・望月記者が秩序を乱した　維新・鈴木宗男氏が批判」という記事をご紹介しましょう。

〈鈴木宗男参院議員は8日の参院法務委員会で、入管難民法改正案採決を巡り、東京新聞の望月衣塑子（いそこ）記者が傍聴席から発言を繰り返したとして「あってはならないことだ」と批判した。（略）

この日の法務委員会には入管法改正案の採決に反対する野党議員らが詰めかけていた。鈴木氏は「傍聴に来た国会議員は発言してはいけない。今日は『良識の府』の参院とは思えないほど、立民や共産の人たちが声を出していた」と指摘。その上で「許せないのは、

東京新聞の望月という記者が何回も発言していた。厳重注意なり、ルールを守るべく正してもらいたい」と委員長に求めた〉

これ、映像も見たんですが、怒っている鈴木宗男議員の発言はちょっと迫力ありますね。さすが叩き上げで長年政治家をやっているだけあるなという感じがしました。しかも、言っていることは全くの正論です。ウクライナの問題に関してはロシア擁護のおかしな持論を展開している鈴木宗男議員がマトモに見えるくらいです。それに比べて望月衣塑子記者の言動は異様でした。

だって、委員会に選ばれていなければ、国会議員であっても、傍聴が許されるだけで発言してはいけないわけですよ。それはそうでしょう。でなければ好き勝手にしゃべっていいことになります。まして議員ですらない新聞記者が、その特権を乱用して傍聴席で大騒ぎし、立憲民主党や日本共産党の発言に「そうだ、そうだ！」と同調の声をあげるなど、ムネオ先生のおっしゃるとおり、「あってはならん」ことですよ。ド派手なピンクの服を着て大声を上げている女性を不審に思ったムネオ先生が事務局職員に確かめ、それが新聞記者だと知ってあきれ返ったそうです。

私、はっきり申し上げてこれは東京新聞に責任があると思います。東京新聞は民主主義のルールも守れないこういうデタラメな記者をなぜ野放しにしておくのか。記者席から特定の政党を応援するなど、記者と議員を画然と分かつ一線をぶち壊そうとする危うさに、望月記者ばかりか、東京新聞も気づかないのでしょうか。

困った「人間なのだ」理論

この件について、ツイッターでもいろいろな投稿がありました。自民党の和田政宗参院議員は、

〈新聞記者が国会での法案の討議・採決を妨害する重大事案。理事会協議会事項となり、まず法務委員会理事会で対応を協議することになるが、東京新聞は社としてどう対応するのか〉

と東京新聞の会社としての責任を問うています。

政治家は選挙で選ばれた国民の代表ですよ。新聞記者は国民に選ばれているわけではない。自分自身は正しいことをしているつもりかもしれませんが、望月記者には、参院法務委員会で発言する権利はないんです。参考人として呼ばれた時とかは別として、正規の

手続きを経ないで勝手に大声を上げるのはルール違反です。望月記者が入管法改正案に賛成か反対かなんて関係ない。ルールを守れと言っているんです。

作家でジャーナリストの門田隆将先生も、ツイッターにこんなことを書き込んでいます。

〈舞い上がり、記者であるとの根本を捨て去った活動家がいる。東京新聞望月衣塑子記者が傍聴席からヤジを飛ばし国会議員からも非難噴出。国会の傍聴という職務上の特権を悪用。阿比留瑠比氏も〝政治部に配属され四半世紀になるが、こんなの初めて〟と。社が許しているのだから制裁を受けるべきは東京新聞〉

元毎日新聞の記者で、現在はユーチューバーの宮原健太という方は、政治的な思想はおそらく私とは相当違うはずですが、その宮原氏ですら、こうツイートしています。

〈私はこれまで総理や大臣に厳しい質問をしてきたが、それでも記者が委員会の審議中に大声を出すのは違うと思う。会見などで政府の見解を厳しく問い質すのは記者の重要な役割だが、委員会は国会議員が法案を審議する場。記者はあくまで審議内容の記事化によって法案の問題点を指摘すべきだ〉

正論ですね。新聞記者と国会議員の役割は違いますよというごく当たり前のことを言っているにすぎないんですけれど、その役割を混同して、まるで自分が国民から選ばれた人間であるかのように堂々と発言する。これ、間違ってるだろうと、常識ある多くの人は思うはずです。でもね、世の中には変わった人がいるんですよ。「いや、望月衣塑子は正しい」と言っている人がいるんです。これはちょっと深刻な問題です。いったい誰か。正体を明かす前に、そのツイートをご紹介しましょう。

〈望月衣塑子は記者である前に人間なのだ。人間でなければ記者にはなれないのだ〉

知ってるよ。望月衣塑子が人間じゃないと思っている人なんかいないでしょ。「人間でなければ記者になれない」。当たり前じゃないですか。いや、こういうこと言う人って、たぶん「オレ、すげー深いこと言ってるな」って自分に酔っていると思うんですけど、深くも何ともないですよ。サルや馬が記者になったら困るじゃないですか。まあ、「憲法審議会を毎週開くのはサルだけだ」と言った自称〝憲法学者〟もいらっしゃいましたが。

要するに、記者としての立場を離れて人間として声を上げたのだと言いたいのかもしれないけれども、国会議員だって人間ですしね。だから、これはちょっと怖い発想ですよ。人間であるか否かを自分たちが審査して決めるつもりでいるわけです。「よろしい、あなたは人間ですね」とか、「お前は人間じゃない、叩き斬ってやる」とかね。いやいや、こう言ったからって、発言の主は山口二郎さんではありませんか。似たような人ですが、あの元文部科学省事務次官の前川喜平氏です。

前川さんは教育行政の事務次官をやっていたはずです。そういう人が、「ルールを破っても人間だからいいんだ」って言うのは問題あるんじゃないですか。この人が指導していた教育っていったいどんなものだったのでしょうか。恐ろしいですね。

こういう人の論理に従うと、例えば国旗掲揚、国歌斉唱に際して起立しない愚かな教員に対しても、「あなたの思想信条はともかく、これはルールですから従ってください」と諭すんじゃなくて、「いやいや座っていていいんだ、だって教師である前に一人の人間なのだから」ということになってしまいます。この「人間なのだ」理論は何にでも使えるから始末が悪い。

「政治家である前に人間なのだ」「学者である前に人間なのだ」「犯罪者である前に人間なのだ」。これを言えば何でも許される世の中になったら大変なことになります。「サリンを散布した信者は犯罪者である前に一人の人間なのだ」「爆破テロを起こした過激派も犯人である前に一人の人間なのだ」「銃乱射で多数の人を殺害した犯人はその前に一人の人間なのだ」。もちろん人間であることは分かっている。だが、人間だからと言って罪が減じられる訳ではない。望月衣塑子なる記者が「記者である前に、一人の人間だ！」と主張しても「そんなことは分かっている」で終わりでしょう。罪が減じられることはない。やはり「人間なのだ」理論は恐ろしいですね。

しかし、望月記者の場合は、ロシアのエージェントではないかとさえ噂されるあの鈴木宗男氏に一喝されるようでは、いくら前川さんが「人間なのだ」と擁護しても、人間としておしまいでしょう。

保守主義とは傲慢さを持たないこと

さて、望月衣塑子記者に勝るとも劣らない人間が、この委員会の席にもう一人いました。山本太郎氏です。

これも産経新聞（6月8日付）の記事を引用してみましょう。

〈れいわ・山本太郎氏、入管法採決で暴力　自民議員がけが

自民党は、8日の参院法務委員会での入管難民法改正案の採決時、れいわ新選組の山本太郎代表が委員長席に飛びかかるなどの暴力行為があり、近くにいた自民議員らがけがをしたと訴えた〉

新聞記者が職権を悪用してルール無視の国会議員気どりのふるまいに及んだかと思えば、国会議員は国会議員で暴力行為に及ぶというお粗末さです。

「リベラル」と称する左翼の人たちのルール無視、暴力への傾倒の原因はどこにあるのだろうと考えてみると、これは彼らの独善性にあるのではないかと私は思います。つまり、自分たちの言うことは常に絶対正しいと思い込んでいるからなのだろうと。

ところが、政治の世界では絶対的に正しいということはほとんどの場合、ありません。ですから、自分の決断や解釈を信じると同時に、一方でもしかしたら自分は間違っているかもしれないという懐疑の精神を持っていなければならない。場合によっては主張を変えざるを得ないことだってあるでしょう。

憲法9条で日本を守れることなんかあり得ないと、私はずっと主張してきました。話し合いによって戦争が回避される、何とかなるなんてことはないんだと。しかし、例えば福島瑞穂さんとかその手の方々がロシアのプーチン大統領に会いに行って、「どっこい！」とこぶしを振り上げ、「平和を守る！」と叫んでウクライナからロシア兵を撤退させたら、私も反省します。「そうか、軍事的抑止よりも話し合いのほうが役に立つ事例もあるんだなあ。これは私も言い過ぎました」と反省して、考え方を変えるかもしれません。

しかし、現実にはそういう事例を見たことがない。皆さんも見たことないでしょう。それでも、自分の主張はもしかしたら正しくないのかもしれないという恐れを持つことは大事です。保守主義者というのは基本的に懐疑的です。なぜかと言えば人間の理性には限界があることを知っているので、自分の主張も完全なものではあり得ないと考えるからです。

この点で、私が今まで話をうかがった政治家の中で、伊吹文明先生の言葉がいちばん印象に残っています。衆議院議長を務めた伊吹先生は、ある勉強会で、はっきりこうおっしゃいました。

「保守主義というのは自分のやっていることが100%正しいというような傲慢さを持たないことだ」と。もしかしたら自分は間違えているかもしれないという恐れを常に抱いていなくてはいかんということです。さすがだなあと私は思いました。これが保守主義のいちばん良質な部分だろうと思います。

我々の思想は「科学」である

この逆が全体主義です。その信奉者にとっては、ゆるぎない「正義」、絶対に誤謬(ごびゅう)のない、間違えるはずのない「正義」がはっきり決められています。例えばマルクス主義がわかりやすい例だと思いますが、彼らにとっては共産党の指導によるプロレタリア（労働者）独裁、共産主義社会の実現こそが正義です。それに向かって突き進むだけ。それが正しいか間違っているのではないかとは考えない。その思想に誤りなどあるわけがないとマルクス主義者は信念を持っているわけです。

だから彼らは「科学的」という言葉が大好きなんです。マルクスの相棒だったエンゲルスの著書『空想から科学へ』はマルクス主義者のバイブルの一つで、その内容は、「サン＝シモンやフーリエのようなこれまでの社会主義は空想的だった。しかしマルクス主義の唯物史観や剰余価値学説は科学なのだ、社会主義社会への移行は歴史的必然なのだ」というものです。

しかし、政治に「科学」を持ち込むのは実は非常に恐ろしいことなんです。なぜかといえば、例えばH_2Oが水であるということは思想や価値観に関係のない客観的な事実です。憲法審査会を毎週開催するお猿さんが飲もうが、人間である望月衣塑子さんが飲もうが、H_2Oが水であることに変わりはない。北朝鮮でもアメリカでもロシアでもウクライナでも日本でも、H_2Oは水なんです。人間や国に左右されない、変わらない。それが科学です。

しかし、政治にそういった科学的真理は存在しません。自分たちの思想が「科学」であると主張することは、自分たちの「正義」は誤謬性のない絶対的なものだから、それに反対することは許されないということです。つまり、全体主義です。

科学がH_2Oを水と規定するとして、じゃあその水はおいしいのかまずいのかという価値観が政治の世界では問題になります。人間は価値観に従って生きているからです。

水にもいろいろあります。六甲のおいしい水とか、南アルプスの天然水とかね。私がいま飲んでいるのは炭酸水ですが、炭酸水でもウィルキンソンがいちばんうまいとか、いや私はサントリー派ですとか、お酒だって成分は同じはずだけど微妙な味の違いがあって、好き嫌いがいろいろあります。ワインともなると何年ものとかボージョレ・ヌーヴォーとかいって値段も味もまったく違う。これは科学的に考えれば全く理にかなっていない。

関東ではそば、関西ではうどんのほうが人気ですね。関東の立ち食いそば店では、誰もがそばばかり頼みます。立ち食いの店って女性はあまり入ってこないからほとんど男性ですけどね。これが関西に行くと立ち食いうどんになって、誰もがうどん、うどん、うどん。ちなみに私はそばのほうが好きです。うどんもおいしいですけどね。

だからそばとうどんのどっちが正しいなどという議論はできません。「うどんなんか食えるか！」という江戸っ子もいれば、「やっぱりうどんですがな」という大阪商人もいる。これは価値観と好みの問題です。じゃあ、それは無視できるのかと言ったら、決してそうではありません。価値観は大切です。

『DEATH NOTE』キラの正義

政治にはいろんな価値判断が入り込んできます。全く違う言い分や主張が衝突することのほうが普通です。人それぞれに理想があり、それぞれ人間観や世界観も違う。その調整をするのが政治だと言うこともできます。そういう時に自分だけが絶対正しいと言い張っていたら、何も決まらないし、一歩も前に進まない。

だから、マルクス主義者や左翼活動家のように〝絶対的な正義〟の実現をめざす人、自分の正義を押し通そうとする人は、本来、政治家には向いていないんです。

現実の政治では必ずどこかで妥協しなければならない。何故なら、ある問題について賛成の人もいれば反対の人もいるわけです。自分だけが正しい、自分以外の人たちはぜんぶ間違っていると言い続けていたら、何も決まらない。

もちろん、原理原則として絶対譲れない、一歩も引けない、それは無理だということもいっぱいあります。例えば「日本から皇室をなくせ」などという主張を認めることは絶対にできない。日本国民の中にも、そういうことを言い出す不逞の輩がいるわけです。だからと言って、その人たちの思想や存在を否定することはできない。とんでもないことを言うやつだからといって国外追放したり収容所に入れるわけにはいきません。政治の世界は、そういった全体主義の論理、活動家の価値観ではなく、現実的な議論や民主主義的な調整、つまるところ政治の論理によって成り立っているんです。

望月衣塑子さんや山本太郎さんたちは、自分の論理というものを疑ったことがないんでしょうね。自分たちは絶対に正しいんだと信じ込んでいるんだろうと思います。

私は昔、もう売ってないだろうと思いますが、『逆説の政治哲学―正義が人を殺すとき』（ベスト新書、2011年）という本を書いたことがあります。その中で、フランス革命を題材にしたアナトール・フランスの『神々は渇く』という小説を紹介しました。こんな話です。

主人公は、フランス革命の大義を妄信するガムランという絵描きの青年で、革命から数年経って革命熱が冷めつつある世の中を憂いています。そんな折、ある偶然から革命裁判所の陪審員に任じられたガムランは、彼が反革命的とみなした人間を次々に断頭台に送ります。

ある日、母親がなぜか唐突に妹の話をし始める。ガムランの妹は愛人である貴族と外国に亡命した許しがたい反革命的な人間です。母親の口ぶりからすると、どうやら国内に戻っている妹をかくまっているらしい。ガムランは激怒して、妹を告発すると叫びます。母親は、「そうは思いたくなかったが、これではっきりわかった。お前は人でなしだ」とつぶやく。

もう一つ、皆さん、『DEATH NOTE（デスノート）』という漫画をお読みになったことがありますか。私は映画で観たのですが、よくできた話でした。ご存じない方のためにちょっとご説明しますと、夜神月（ライト）という頭脳明晰なエリート少年が、死神が落としたデスノートを拾うところから物語は始まります。このノートに名前を書き込まれた人間は即死することを知ったライトは、罪を犯しながらのうのうと生きている悪人たちの名前を書き込んでいきます。適切に裁かれることのなかった犯罪者が、次々に世を去って行きます。法を超越して悪を成敗する者の存在に気づいた人々は、夜神月を「キラ（KIRA＝Kil

ler)」と呼び、神のように崇めるようになります。
しかし、警察から見ればキラは大量殺人者でしかない。息子がキラであるとは知りようもない警察庁刑事局長の夜神総一郎は、なぜか世界の警察機構を動かせる謎の名探偵L（エル）の指揮のもと、キラに立ち向かう。ここから二人の天才少年、キラとLの息詰まる戦いが始まります。ライト（キラ）はそもそも純粋な正義感からデスノートを利用し始めたのですが、犯罪者の裁判を受ける権利を無視して、司法の手を経ずに悪を成敗することはやはり問題がある。

善意、正義感から動き始めたライトは少しずつ変わっていきます。自分は社会正義のために悪を制裁しているのだ、その自分に刃向かうものはすべて悪だと考えるようになる。革命の論理って、だいたいそうなるんですよ。純粋に困っている人たちを助けたいと願い、極悪非道な為政者を倒して人々を解放するために立ち上がったとしても、やがて、自分のやり方に同調しない、反対する人間がすべて反革命的な敵に見えてくる。フランス革命もロシア革命もそうしておびただしい血が流され、多くの人が亡くなりました。

私はそうした善意、志、義憤を持つということは大事だと思います。志も持たずに政治家になられても困る。だけど同時に、自分の正義だけが正義ではないという謙虚さを持つ必要があるんです。自分の信念に対し、それを冷静に眺めるもう一人の自分がいて、常にもう一人の自分と議論を戦わせる。そういう作業をしなければ政治家は務まらないと私は思います。

山本太郎氏のような人物が政権の座に就き、望月衣塑子氏のような新聞記者がマスコミを牛耳ったら、恐ろしい世の中になります。ちょっとでも自分に反対する人間には制裁を科し、刑務所に放り込むかもしれない。ですから、『逆説の政治哲学――正義が人を殺すとき』というタイトルはなかなか刺激的ですが、まさにそのとおり。いい本だな、誰が書いたんだろうと思ったら自分でした。２０１１年の本ですから、もう干支が一回りする12年前、20代の時に書いた本ですが、アマゾンには中古品があるんじゃないかと思うので、ご興味のある方は、よろしければお読みいただければと思います。

私もいろいろと主張はしますが、それでも自分が間違っている可能性というものをいつも頭の片隅に置いています。そういう思いがあれば他者に対していくらかでも寛容になれる。でも、政治家については厳しく言いますよ。ガンガン思うところを述べます。ただ、

政治学者である私が言うのも変な話ですが、政治学者の分析というものはある程度の参考にはなるけれど、政治家はそれを１００％信じてはいけません。政治とは常に間違える

かもしれないものなのですから。責任を取らない学者の話を鵜呑みにしてはなりません。
いずれにしても、山本太郎や望月衣塑子ら独善的な左翼にはうんざりだ。暴力的な「平和主義者」よ、いい加減にしろ！

（2023年6月9日）

第7講　無責任な山口二郎に振り回された野党共闘の悲劇

泉さんが辞めたら党首のなり手がいない

立憲民主党は終わったと、ことあるごとに私が言っているのに対し、いまだに立憲民主党が政権を取る日を夢見て、その歩むべき道を考察した健気なジャーナリストの野党共闘論と、それにまつわる無責任な学者のお話が今回のテーマです。

プレジデントオンラインに掲載されていた〈「**ひ弱な弱者連合」を続けてもしょうがない…次の総選挙で自民党に勝つために立憲民主がやるべきこと**〉と題する記事がそれです。逆立ちしたって立憲民主党が自民党に勝てるとは思えないのですが、筆者は尾中香尚里さんという元毎日新聞の政治部副部長だったジャーナリストの方です。

来る総選挙で泉健太氏は１５０選挙区取れなければ辞任とぶち上げました。こうした○

○が出来なければ辞任という野党党首の覚悟の示し方に尾中氏は否定的です。何故なら、一度の敗北で党首が交代してしまうと、ころころと野党党首が変わることになり、次世代を担う野党の指導者が育たないというのが理由です。

尾中氏は「泉氏1人の問題ではない」と言っていますが、それに関してなぜ蓮舫氏の名前が出てこないのか疑問です。最近では、蓮舫氏が中心となって、「泉さんにリーダーとしての力が足りないと」凄んでみせ、泉健太氏ひとりに責任を押し付けるような議論をしていましたが、「じゃあ、あんたがやってみなよ」という話です。もはや党首を蓮舫さんがやろうが小川淳也さんがやろうが、立憲民主党が選挙で勝てる見込みなどありません。

野党第一党にふさわしいのはどの政党かという毎日新聞の調査（2023年5月22日）でも、維新の会（47%）に立憲民主党（25%）はダブルスコアで負けているんですから、誰のせいで負けたとか、誰の責任かという段階をすでに通り越して、もはや国民から見放されていることに早く気づくべきです。なぜ負けるのか。それは立憲民主党だからです。

下から突き上げられて、じゃあ150議席取れなかったら代表を辞めると泉さんが言ったことで焦っている人はかなりいると思いますよ。「泉健太が辞めたら誰が党首やるんだよ。俺はパス。だって、また蓮舫とかにさんざん悪口言われて責任ぜんぶ押し付けられて辞めさせられるんだろ」「俺？　いや無理、無理、無理、無理、無理」みたいにね。こんな状況で、「はーい、私が党首やりまーす」とか言って手を挙げるのは相当変わった人ですよ。有田芳生さんくらいのものでしょう。「いや、あなた落選しとるやん、それはちょっとまずいでしょ」となだめられて終わりです。

泉さんは辞任すると言いたくて言ったわけじゃないと思いますよ。そうでも言わないとまわりが納得しないからでしょう。背水の陣を敷いて鼓舞する意味もあると思うんですが、野党党首の首のすげ替えが頻繁に起きるとリーダー級の政治家がなかなか育たないというのは、まあ確かにそのとおりですね。野党のトップがコロコロ変わると、この人誰だっけみたいな人が党首になり、国民に呆れられる可能性はある。だからと言って、共産党みたいに志位和夫さんが委員長をやり続けているのもどうかと思います。だから難しいところではありますが、リーダーは自分たちで育てていくしかありませんね。

首相の解散権について憲法に明記すべし

尾中氏は記事で首相の解散権について次のように疑問を呈しています。

〈衆院選がきちんと4年の任期ごとに規則的に行われるなら、まだいい。しかし、現在の日本では、おかしな憲法解釈のせいで、時の首相が自分にとって都合の良い時に衆院を解散できる〉

これは私、何度も言っていますけれど、「天皇は、内閣の助言と承認により、国民のために、左の告示に関する行為を行う」と「天皇の国事行為」を規定した憲法第7条の第3項に「衆議院を解散すること」とあり、69条に内閣の衆議院解散権が定められています。ただし、このいわゆる「69条解散」というのは本来、内閣不信任決議案が可決した時にしか解散できないはずのものです。

だから、首相の解散権とはどうあるべきなのかを真面目に議論する必要がある。私は憲法を改正して、首相の解散権について明記しておくべきだと思います。現在のように、総理大臣の「伝家の宝刀」とかいって、総理の好きなタイミングで衆議院を解散できたら、誰だって勝てる時に解散を打ちますよね。絶対負けそうな時に解散したのは民主党の野田佳彦内閣だけです。

自民党の安倍総裁と党首討論をやっている最中に「じゃあ解散しますよ」って言い出したので、安倍さんもちょっとびっくりして、「本当ですか、本当ですね」と何度も念を押していましたよね。誰がどう考えても民主党が勝てるわけはなかったから、〝自爆解散〟ということもできますが、もしかしたら野田総理はもう民主党政権では国が危ないと判断したのかもしれません。

いちばん解散が上手だったのは安倍元総理ですね。勝てるタイミングで的確に解散を打った。でも、首相の解散権が自由に行使されることが妥当なことなのかどうかという議論はあっていいはずなんです。憲法改正も必要でしょう。現在の憲法解釈がある以上、これは好きな時にいつでも解散を打てることになる。

岸田さんは今回、さんざん気をもませたあげく解散を見送りましたが、私はG7広島サミットの後に解散、7月9日投開票という見方をしていました。ところが、首相秘書官である息子さんの悪ノリ忘年会が週刊文春に叩かれた、例の「翔太郎ショック」で、支持率に翳りが見え、足元の東京で自民党と公明党の選挙協力が頓挫してしまった。このまま選挙に入るのは不利とみて解散を延期したのでしょう。

尾中氏によれば、野党党首が○○できなければ辞任と言えば、辞任の言葉に注目が集まってしまい、「立憲下げ」のメディアが野党政局にばかり注目することになるという。

いやいや、いくら尾中さんが立憲民主党推しだとしても、いったいどんな見方をしたらいまのテレビが立憲下げに見えるんでしょうか。私はあまりテレビを観ませんが、私の知る限り、聞く限り、テレビは基本的に自民党を叩いて野党を持ち上げますよね。安倍政権叩きに必死な番組はいくらでもありましたが、少なくとも夢中で立憲民主党を貶めているテレビ番組なんか見たことがありません。この尾中さんという人、ちょっとズレてるんじゃないかって気がしますね。立憲民主党を必死に叩いているのは岩田温チャンネルくらいです。

いずれにしろ尾中氏は、ここまでは野党の党首が「何々できなければ辞任」としばしば口にすることへの苦言を呈しています。そして、これからが本題です。

おかしなおかしな弱者連合

尾中氏は泉健太氏の選挙戦略を高く評価しています。それはいわゆる野党共闘ではなく立憲民主党の自力で選挙を戦う姿勢についてです。「共産党がいないと戦えないよ」。「国民民主がいないと怖いよ」というのではなく、立憲民主党自体が足腰を鍛えて闘わなければ選挙で勝てないという訳です。他力本願の選挙から自力で闘う選挙への転換。尾中氏はそのような戦略を夢見ているようです。

なるほどね。まあ、一応立憲民主党は自力でも戦っていたわけですが、他力本願的だったから負けたというよりも、私に言わせると共産党と一緒になってやっていたことがいちばんの問題でしょう。「野党共闘」で共倒したわけです。別に維新や国民民主党と協力するぶんには何も問題ありませんが、共産党と一緒というのは、日本国民にはやはり大きな抵抗があるのではないでしょうか。

日本共産党は、日米同盟は直ちに破棄する、自衛隊は違憲である、民主主義が成熟すれば皇室は消滅すると主張しているんですよ。日本人として、この3点がある限り、とてもまともな政党とは思えません。まともじゃない政党と選挙で一緒に戦う政党もまた、まともであるわけがない。兼好法師の『徒然草』にこんな話があります。狂人の真似をするといってぎゃーと大声を上げながら、道路を疾走する者がいたら、それは紛れもなく狂人である。おかしな人の物真似をしたり、近づいてみたりしたらその人もまた狂人なのです。それで国民に見限られたというのが本当のところでしょう。

さあ、いよいよ話は野党協力に及びます。

〈立憲との選挙協力に期待する中小野党の側にも「立憲だけでは自民党に勝てない。協力

してやるからこちらの主張を受け入れろ」という、いささか強気過ぎる考えはなかっただろうか。

「共闘」をめぐる野党間の駆け引きが伝えられるなかで、立憲に、ひいては野党全体に「ひ弱な弱者連合」という印象を与えてしまった可能性がある〉

尾中氏が嘆くのは、野党共闘がひ弱な弱者連合になってしまった点です。もちろんこれは結果から見てものを言っているに過ぎないが確かにそういう一面はある。立憲民主党は自力では勝てないので、他党に出馬をおさえて欲しいと願っていました。他の弱小野党も、そんな立憲民主党の実情を見透かしています。だからこそ、ここでは譲歩してやるから、そちらではあなた方が譲歩してくれと、強気な交渉に打って出ました。傍から見ていると弱者と弱者がお互いの傷を舐め合っているというか、自分たちの弱さを他党の力で補おうとする。弱者連合にしか見えないというわけです。

確かに、小選挙区というのは候補者が乱立していたら勝てないんです。だって、1人しか受からないんですから。3人当選するというのなら、2位3位争いができますけど、巨大な与党があって、小さな野党からたくさんの候補者が出ている状態だと、巨大与党が断然有利なのは事実なんです。

でも、そんなの選挙区を調整するとか、いろんなやり方があるわけです。立憲だって勢いさえあれば小選挙区でも絶対に勝てないわけじゃない。現に日本維新の会は勝っているじゃありませんか。そういう分析も必要だと思いますよ。

「ひ弱な弱者連合」という印象を与えたって言うけど、そうでしょうか。むしろ「おかしな弱者連合」というイメージだと私は思いますね。主張そのものがおかしいんです。だって、「集団的自衛権は違憲だ」って、立憲民主党の人たちはいまだに言っているんですよ。

おかしいでしょ、これ。日本はいま、アメリカやオーストラリア、インドのような他の国々と同盟のネットワークを広げて、世界の覇権をめざす中国に対抗しようとしているんです。そんな世界情勢にありながら、いまだにそんな馬鹿なこと言っている政党に国政を任せたいと誰が思いますか。失礼ながら、はっきり申し上げて狂った安全保障政策としか言いようがありません。集団的自衛権を全く認めないなんて、そんな政党が何を言ってもダメです。

万一、中国が日本の領土に侵攻してきたら、日本一国だけで戦うのか。いやいや、日米同盟があるからアメリカに戦ってもらうんだ。じゃあ台湾に攻め込んできたらどうするのか。「アメリカが何とかするでしょ、日本は関係ないから」とでも言うんでしょうか。アメリカが中国と戦った場合、米軍は日本の基地から出撃するわけです。当然、日本も中国と抜き差しならぬ関係になりますよ。

「日本に何かあったら外国に守ってもらうけど、自分たちは何もしません、台湾がどうなろうと知ったこっちゃありません」

そんな態度でいたら、世界が日本の味方をしてくれると思いますか。ウクライナは自分たちで銃を取って立ち上がったから国際世論を味方につけた。もうお忘れですか。

私は昔から言っているんですけど、集団的自衛権に反対するのは別にいいんです。だけど、「違憲だ」と言った段階でアウトです。「憲法違反である」との主張は相当重い。もう後に退けなくなってしまう。やっぱり合憲でしたとはもう言えません。

だから、泉健太さんや小川淳也さん、ぜひ真面目に考えてください。そして、国民に詫びていただきたい。「いままでの私たちの主張は間違っておりました。申し訳ありません。今日ただいまから、集団的自衛権は合憲であると認めます」と。話はそれからです。

それができなければ、万が一、政権を取っても国際社会から信用されませんよ。えっ、やっと我々と一緒に戦う気になったのかと思ったら、「集団的自衛権は違憲でした、やっぱり戦うのはいけんと思います」だって？　何それ。日本ってどんな国なの。中国は危険だ危険だって煽（あお）っておいて、どういうつもりだよ――他国からそんな風に思われるのが関の山です。

はっきり申し上げます。立憲民主党はひ弱だから負けたんじゃありません。日本の防衛と国際的地位を顧みず、日米同盟破棄・自衛隊違憲・「天皇制」消滅を訴えるような党と手を組むような政党を見限るのは国民の良識によるものです。

〈本来の立憲の旗印だった「支え合う社会」とは微妙に矛盾する「時限的な消費税減税」まで共通政策に盛り込まれた。他党がそこを強烈に主張したことで、立憲の「目指す社会像」はますます見えにくくなった〉

野党共闘を進めるうちに立憲民主党が他党に配慮し遠慮した結果、立憲民主党らしさが見えなくなったと尾中氏は主張しています。本来であるならば自分たちの政策と異なるはずの時限的な消費税減税まで共通政策に盛り込んだ。全ては野党共闘のための政党間合意を優先させた為だったと言うのです。選挙戦略として致し方なかった面もあるとしながらも立憲民主党が立憲民主党らしさを失ったがゆえに選挙で敗北を喫してしまったと言いたいようです。

でもね、申し訳ないですが、立憲民主党がめざす社会って、「ますます見えにくくなった」

どころか、初めから見えなかったんじゃありませんか。どんな社会にしたいのかというより、社会を混乱させたかっただけにしか思えません。

私がアベマ・プライムでお会いした小川淳也さんなんて、酷かったですよ。具体的なことは言わずに精神論しか言わないんですから。

親切な私（笑）が、「国民に説教するような政治家は嫌われますよ」って言うと、「嫌われたっていいんです。嫌われたってやる。批判されたってやる！」とイキってるばかり。

「仲間がいない限り、政権を取るのは無理ですよ。与党にならなきゃ政権取れないんですからそんな国民に説教するような政治家ではみんな当選できないじゃありませんか」

「いや、私はなんとか受かってきました」。

「いやいや、仲間はどうするんですか」

「……死ぬ気で頑張ります！」。

こんな精神論しか語らない人に何ができるんですか。訳の分からない精神論で片づけて、支えあったり、協力し合ったりするはずの仲間のことなど、本気で心配していないんですよ。話にならないとはこのことです。めざす社会像もへったくれもない。総理大臣になれないのは当然でしょう。器じゃない。

こうしたデタラメな立憲民主党をさらにさらに酷くしていった元凶が「市民連合」です。

尾中さんご自身が仰っていますね。

その通りなんです。政治学者を騙(かた)る政治活動家の山口二郎氏らが安全保障関連法廃止を訴えて結成した野党共闘組織が「市民連合」です。この「市民連合」に引きずられたということですよ。かつて民主党のブレーンだった、北海道大学名誉教授の山口さん、それから共産党にいいように引っ張りまわされて、尾中さんが言うように、自力で戦うことを忘れていたということですね。「市民連合」などと語っていますが、その本質は左翼連合です。何が「市民」なんだと申し上げたい。

尾中さんは言います。

〈21年衆院選の後、立憲には「野党『共闘』は失敗だった」との批判が、散々浴びせられた。実際には多くの小選挙区で自民党と相当な接戦になっており、戦術面での候補者一本化の効果は確かにあったので、立憲がこれらの批判を丸ごと受け入れる必要はない〉

いや、真っ当な批判は受け入れなきゃダメですよ。現実を無視してはいけない。

ただ、尾中さんは次のようにも語っています。

〈「しかし「共闘のあり方」には、明らかに見直すべき点があった。それは野党が「多弱連

合」から脱し、立憲を中核に据えた上での「構え」の陣形を作らなければならない、ということだ。「共産党と組んで左に寄りすぎたから、次は維新と組んで右に振れるべきだ」とか、そんなことでは全くない〉

それはそうでしょう。共産党が好きな人は共産党に投票するし、維新が好きな人は維新に投票しますから。結局のところ、立憲民主党が好きな人を増やさなくては意味が無いのです。しかし、この全く魅力の乏しい、木偶（でく）の坊みたいな政党に魅力を感じてくれというのも無理な話かもしれません。

しかし、この方、急に素っ頓狂な議論を展開しはじめます。さすが立憲民主党の応援団だけのことはあると思わせるだけのぶっ飛びぶりです。

〈以前にも指摘したが、民主党が下野した2012年以降、野党第1党としては衆院に最多の議席数を持ち、第2党（日本維新の会）との議席差も最も広がった。歩みは遅いとはいえ、立憲は実際に「野党の中核」の位置に近づきつつある〉

えっ、いつ「野党の中核」に近づいたんですか。知りませんでした。いまはもう転落一方で、政界の中心から遠去かりつつあるんじゃないですか。この人、ちょっと現実が見えていないんじゃないかという気がしますね。いまや野党第一党に維新を推す声が圧倒的です。立憲民主党はいま最低限の議席を保っていますが、次の選挙でガラガラと崩れていくでしょう。

で、次が面白いんですよ。「立憲の姿勢を変えた千葉5区補選の激戦」という主張です。全く現実が見えていません。お気の毒で、ちょっと痛々しいくらいです。

立憲の目指す社会像なんてあったのか？

立憲民主党が自力で戦えば、勝てる。少なくとも接戦に持ち込めると主張するのですが、その事例として挙げるのが千葉5区の補選です。

〈「例えば千葉5区だ。野党候補が乱立し「自民圧勝か」と言われた選挙で、立憲は野党候補の中で頭一つ抜け出し、当選した自民党候補と大接戦を演じた。目下の「野党内ライバル」である維新の候補には、ほぼダブルスコアの差をつけた。

世間的には「立憲惨敗」と呼ばれる統一補選だが、野党内の力関係に焦点を当てれば、立憲は「野党の中核政党として、単独でも自民党の対立軸になり得る」ことを示したとも言えるのだ〉

残念ですね、この分析。全く見当外れです。立憲民主党がなぜ接戦を演じられたかということをよく考えたほうがいいですよ。この「千葉5区」というのは相当に特殊な事例であって、尾中さんはこれを一般化して敷衍（ふえん）しようとしていますが、それには無理がありますす。なぜかと言えば、千葉5区から出た自民党候補者の英利（えり）アルフィヤという方に対して、自民党支持者は非常に冷淡だったんです。

「名前を自分で選べないのは差別だ」とか、わけのわからない主張をしたり、選択的夫婦別姓やLGBTの権利擁護を訴えたりして、ネットでもこの人の発言について批判が集まっていました。そんな候補者だからこそ、立憲民主党は善戦できたんです。普通の候補者が出ていたら、そんなことにはなっていません。これは「アルフィヤ効果」、自民党の自滅というべきものですから、それを立憲民主党の戦術的な評価と結びつけるのは間違いだと思います。立憲が野党の中核政党として、単独でも自民党の対立軸になり得るというのは、はっきり申し上げて、とんでもない勘違いです。目を覚ましなさい。

「野党第一党争いに決着をつける」

この千葉五区の補選を境に立憲民主党は変わったと尾中さんは主張したいようです。

〈統一補選の後、立憲は、大きく滞っていた「自力での候補者擁立」にようやくかじを切った。候補者擁立の目標を、これまでの１５０から２００に引き上げた。遅すぎた感はあるが、良い傾向であると認めたい〉

認めるのは勝手でしょうけど、候補者の数を２００名に引き上げても全員落選したら同じですよね。選挙はオリンピックとは違います。参加することに意味はありません。勝たなくてはならないのです。

この尾中さんという人はどうも楽観論に立っているようで、立憲民主党が強気な姿勢を示せば、かえって他の野党が追随すると考えているようです。妥協ではなく、強硬論を主張したほうが共産党も含めた野党は立憲民主党に付き従うとでも考えているようです。

残念ながら、そんなことはありませんよ。共産党のような強固なイデオロギー政党は泉健太さんが強面（こわもて）で臨んだところで、何とも感じません。共産党はあくまで自分たちの主張を貫き通すでしょう。そうするところに彼らの存在価値があるのであって、そうしなければ、消滅してしまうような政党なのですから。

ちなみに共産党と一度付き合ったら、もうずっとついてきますよ。本当に共産党は恐ろしいです。裏社会の人に何かものを頼むとずっとまとわりついてくるでしょう。それと同じ。松本清張の小説の中ではよく裏社会の人々が描かれていますが、怖いですよね。一度お世話になったら、二度と自由になれないのです。彼らの呪縛の中で生きなくてはいけない。大変なことですよ。

小池晃書記局長が立憲を牽制したという話もあります。これ脅しですよね。「俺たちと一緒にやらないいんならバンバン対立候補出してやるぜ、それでもいいのか！」と凄んでいるわけです。立憲民主党は「そんなことされたら、また票が減る！」とビビっているんでしょうが、そんなことではいけません。毅然としてNOをつきつけるべきです。立憲民主党はヘタレですから無理でしょうけど。

尾中氏は立憲が「大きな構え」を構築できなければ野党に力強さは生まれないとおっしゃいますが、日本維新の会だって野党ですよ。力強さは十分生まれているじゃありませんか。大阪にいるとひしひしとそれを感じますよ。「野党第一党争い」にもほぼ決着はついています。

立憲が候補者を擁立しない選挙区では維新が伸長するとも主張していますが、これもまた見当外れでしょう。立憲民主党が候補者を擁立したとて、はなから相手にされていないのです。どうしてでしょうか。「だって立憲民主党だもの」でおしまいです。おしまいの政党には碌な候補者が集まりません。ろくな候補者がいないからますます国民の立憲離れが進んでいきます。そろそろ自覚すべきなんです。「俺たちほんとに屑なんだな」って。国民にここまで嫌われているんだなという自覚があまりにも足りません。まともな政党だと思い込んでいるのはあなたたちだけです。

私は維新のほうが圧倒的に野党第一党にふさわしいと思うんですが、こういうことを言うと誤解する人がいるんですけど、別に私は維新びいきでこんなことを言っているんじゃありません。メディアの世論調査の結果、維新が立憲よりダブルスコアで支持されているという事実を言っているんです。

じゃあどの政党が好きかと言われたら、悩む人は多いんじゃないでしょうか。LGBT法案を出すような自民党はいやだし、かといって維新の都構想もどうかと思う。でも、あまりに小さな政党に入れて自分の票を死に票にするのもいやだ。そうやって考えた結果、やっぱり今回は維新に入れておこうという人が多いんじゃないでしょうか。何度も繰り返しますが私は維新の全てを肯定しているのではありません。誤解しないで下さい。立憲民主党よりはマシだよねと言っているに過ぎません。ちなみに立憲民主党よりマシというのは褒め言葉でも何でもありません。腐った生ゴミとまずい蕎麦のどちらかを選んで食べなさいと言われたら、よほどの物好きでない限りまずい蕎麦を選ぶでしょう。だからといってその蕎麦が美味いと言って食べているわけではありません。生ゴミは食べたくないという一念です。生ゴミ政党、それが立憲民主党です。

政治学者を廃業せよ

この記事の中で興味深いものもあります。例えば次の指摘です。

〈21年の前回衆院選のように、外部の団体によって大小の野党が同じ立場で手を結ぶような選挙協力の形は、おそらくもう古い、ということなのだ〉

さあ、きました。強烈な市民連合批判です。尾中さんはこれが言いたかったために、ここまで延々とパソコンのキーを打ってきたのではないでしょうか。

ご存じとは思いますが、「市民連合」というのは、「安保法制の廃止と立憲主義の回復を求める市民連合」というのが正式名称で、２０１５年に結成以来、日本維新の会を除く野党共闘の中心的役割を担いましたが、21年に「野党をつなぐ役割には限界があった」などと宣言し、野党をさんざんかき回したあげくに解散しました。その市民連合のやり方を、「もう古い」と断定しているのです。

さぞかし旧市民連合の人々は耳が痛いだろうと思いきや、その首謀者であった山口二郎氏は、5月25日のツイッターでこの文章を取り上げ、以下のようにつぶやいているのです。

〈市民連合の役割に対する厳しい批判。実は私も野党共闘の意味について疑問を感じているので、共感する。野党共闘は手段であって、目的ではない〉

おい！　何を言い出す、いまさらジロー！　朝日新聞と一緒になって、野党共闘をやれ、野党統一候補を立てろ、俺たちの立てた方針で行け、ああしろこうしろと言っていたのはあなたじゃないか。何が「実は」だ。何が「野党共闘に疑問を感じている」だ。なーにが「共感する」だ。「野党共闘は手段であって、目的ではない」って、あーったりまえじゃないか。

自分たちの方針が間違っていた、失敗だったというなら、まず語るべきは反省の弁ではありませんか。「私たちが悪うございました。まことに申し訳ありません。私ごときが他人様にとやかく言うべきではありませんでした。選挙戦略も完全に間違っておりました。もう政治学者は廃業いたします」と、ここまで言うのが筋だと思いますよ。

それをまぁぬけぬけと、「うむ、なかなかいい記事だ」と？　何とおっしゃるうさぎさんですよ。ことほどさように学者というのは無責任な連中が多いんです。だから、私が言うのもおかしいんですが、政治家が学者の言うことを100%聞くようになったらおしまいです。そりゃあ周囲はいろんなことを言いますよ。それに対して、この意見は違う、この意見はもっともだと取捨選択する、そういう判断力とバランス感覚が政治家には求められるんです。学者なんてものは机上の空論ばかり口にして、選挙運動のように自分で汗を流すことなんて一切しません。政治家はいくら靴をすり減らして政策を訴えたって選挙に落ちたらただの人です。ところが学者は、どんなに間違えようが机を前にして無責任にふんぞり返っているだけです。だいたい山口二郎ごときの言いなりになっている時点で政治家失格と言われても仕方ありません。ここまで無責任な輩は人間として腐っています。

おそらく泉さんは野党共闘をしたくないんでしょうね。でも立憲民主党単独で果たして勝てるかということです。泉さんがどのような決断をされるかは未知数ですが、くれぐれも学者やジャーナリストや蓮舫さんに振り回されることなく、的確な判断を下されますよう。ご検討をお祈り致します。

そして最後にもう一言、山口二郎よ、政治学者を廃業しろ！　貴様はかつてほざいたな。

「安倍に言いたい。お前は人間じゃない。叩き斬ってやる！」

山口に言う。引っ込んでいろ！　お前は学者じゃない。いい加減にしろ！

（2023年5月29日）

第8講 カクワカ田中さん、残念ながら核兵器はなくなりません！

「広島ビジョン」はよくできている

岸田総理のお膝元である広島で、２０２３年5月19日から21日にかけて開催されたＧ７サミットは、ウクライナのゼレンスキー大統領の参加というサプライズもあり、国内的にも、国際的にみても成功裡に終わったと言っていいでしょう。

総理のご子息、岸田翔太郎君の〝悪ノリ公邸忘年会〟問題さえ明るみに出なければ、岸田内閣の株も支持率も高値安定となるところでした。

ところが、このサミットは大失敗であったと批判する記事が毎日新聞の「政治プレミア」というサイトに掲載されていました。これは核廃絶をめざす立場からの主張ですが、ご紹介したいと思います。

タイトルは〈サミット　**広島で開いた意味はあったのか**〉。筆者は田中美穂さん（28）という方で、「核政策を知りたい広島若者有権者の会（通称カクワカ）」共同代表を務めていらっしゃるそうです。カクワカという通称はちょっとわかりにくいですね。角界（相撲協会）のワカタカ（若乃花・貴乃花）兄弟の関連団体みたいです。

冒頭から、

〈私たちが目指す「核廃絶」と「核軍縮」には大きな溝がある。それを強く感じさせられたG7サミットでした。広島開催の意義を生かし切れなかったと思います〉

と、ご不満のご様子。

各国の首脳が原爆ドームを訪れたのも、まったく意味がなかったと言いたげです。しかし、「核廃絶」と「核軍縮」に「大きな溝」があるのは当然です。そもそも言葉の意味が違うんですから。「核軍縮」というのは核兵器の存在を前提としています。「核廃絶」は核兵器そのものをなくすということですから、「私たち」がめざそうが誰がめざそうが、溝があるのは日本語として当たり前の話です。田中美穂さんは続けてこう書いています。

〈広島で活動している私たちは、被爆者の方と共に暮らし、その体験を直接聞き、原爆ドームも日常的に見ています。

このまちの「場の持つ力」を感じているから、核兵器をなくす方向に少しでも具体的な何かが出てくることへの期待もありました。

しかし、核軍縮に絞ったG7首脳声明「広島ビジョン」には、核兵器の使用や保持、威嚇を禁じた核兵器禁止条約への言及はなく、「被爆者」という言葉もありません。

内容も既に聞いたようなものばかりで驚きはありません。核廃絶に向けた新しい道筋が示されず、「広島が舞台として利用されるのでは」という事前の恐れが現実になり残念です〉

私が抱いた感想は田中さんとは全く逆です。「広島ビジョン」は、「核廃絶」というような空虚な言葉をもてあそぶことなく、現実に存在する核兵器を、侵略や威嚇ではなく、侵略戦争を抑止するために使わなければならないと宣言し、ロシア、中国、北朝鮮、イランを強く牽制しました。

だからこそ、中国は怒って垂秀夫駐中国大使を呼び出して「内政干渉するな」と抗議したわけです。これに対し、垂大使はその場で「中国こそ行動を改めるべきだ」と反論しました。よく言った！　外交官たるもの、そう来なくっちゃいけません。

地球上から核兵器をなくすと人類は不幸になる

カクワカの田中さんには申し訳ありませんが、日本が、あるいは広島がどんなに声を上げようが、「核廃絶」は実現しません。無理です。現実問題として、ロシア、中国、北朝鮮にどうやって核兵器を捨てさせるのか。捨てるわけがありません。

北朝鮮には、金正恩のお父さん、金正日が定めた国家運営の政治的指針「先軍政治」という思想があります。軍事がすべてに優先されるというものです。金正恩著作集にそう書いてあります。私、金正恩著作集をけっこう丁寧に読みました。周りから見たらかなり不気味な人ですよね。赤ペンで線を引きながら電車の中で金正恩の著書を熱心に読んでいるんですから。でも、面白かったですよ。北朝鮮の指導者はこういう認識でいるというのがよくわかりましたから。

いわく、朝鮮民族というのは長い歴史と高度な文化を持っている。「そうなのかな？」と思いますが、まあ、自分たちで言うのは自由ですからね。ところが、偉大な指導者がいなかったから常に他民族に蹂躙され搾取されてきた。他民族の中には日韓併合をした日本も入っています。では偉大な指導者とはどういうものか。それは何よりも朝鮮を強大な軍事大国にする指導者である。現代では核武装の充実が何よりも重要である、というわけです。金正恩著作集にそうはっきりと書いてあります。

そんなの、どうせゴーストライターが書いてるんだろ、とおっしゃるかもしれません。私も金正恩本人が書いたとは思いません。でも、金正恩の名前で出版されているという事実が大事なんです。これ、日本語訳も出ています。北朝鮮の出版社か朝鮮総連か、どこが翻訳出版したのかは知りませんが、そうやって日本語しかわからない在日の人たちにも、祖国のあるべき姿を示そうとしているんです。

私は独裁者の著作というものをまじめに読み解く必要があると考えています。独裁者が自分の言葉で語っていることの意味は大きいからです。たとえばヒトラーの『我が闘争』を読まずしてナチスの政策を語ることはできません。もちろん、嘘やハッタリもいっぱい書いてありますよ。だけど、ヒトラーなりの哲学や思考回路というものがよくわかる。

金正恩の著作を読むと、彼の考え方は父親・金正日の思想でもあり、祖父・金日成の思想でもあると書かれています。つまり、核武装は北朝鮮建国以来の国是であるということです。

実は1970年代の日本で、核廃絶の運動が盛り上がったことがあって、ヨーロッパからも核廃絶を支援する声がたくさん届きました。しかし、その核廃絶運動を強力に支援していたのは誰か。それは北朝鮮だったんです。

よど号をハイジャックして北朝鮮に渡った田宮高麿ら赤軍派のグループなどがヨーロッパに渡り、現地から「日本は核兵器のない世界をめざせ」と訴えていたわけですが、その間、北朝鮮は必死になって核兵器を開発していました。これが国際社会の現実なんですね。

核兵器をなくせという声を聞いて、そうですか、そこまで言うんなら、とポイと捨てるようなものではないんですね。銃を持っているヤクザにどんなに頼み込んでも銃を捨てることはないでしょう。本気で銃を捨てさせようとするなら、こちらがマシンガンか何かで徹底的に脅しあげたときだけでしょう。それが現実です。

「話し合いで解決しよう！」というのは自由です。しかし、話し合おうともしない人間を相手に話し合うことに何の意味があるのでしょうか。はっきり申し上げて、時間の無駄です。

もう一度言いますが、地上から核を廃絶するのは無理です。というより、地上から核兵器をなくすと人類は不幸になります。なぜか。国際会議で、すべての核兵器を放棄することが決まり、それが遂行されたとしましょう。捨てたふりしてどこかに隠す国が必ず出てきます。しかも、そんなことをするのは絶対にならず者国家です。

もしアメリカやヨーロッパから核兵器を持つ国がなくなってから、ロシア、中国、北朝鮮が、「俺たち実は核兵器まだ持っているんだもんね」と言い出したらどうなるか。世界中がロシア、中国、北朝鮮の言うことを聞くしかなくなります。自由主義国の自由と独立が脅かされるどころか、世界から自由主義国が消滅し、待っているのは奴隷としての日々です。

小学生・中学生くらいの現実を知らない子供たちが「核兵器のない世の中を」とか言うのはかわいいものですが、カクワカの田中美穂さんって28歳ですよね。会社員なら、もはや新人ではない。学問の道に進んでいれば、大学院の博士課程を終えたくらいの年齢でしょう。その年で本気で核が廃絶できると思っているんでしょうか。

いや、理想というのはそういうものだ、ドイツの哲学者のカントは「永遠の平和への到達がいかに難しかろうと、それに少しでも近づけるように努力すべきだ」と言っているという人もいるかもしれませんが、現代の国際政治にカント先生の理想論は残念ながらあてはまらないんです。

国の指導者は「一人の人間」になってはいけない

各国首脳が原爆資料館を訪れたことに対しても、田中さんはこんな不満をもらします。

〈開催前、首脳たちにはできるだけ長く原爆資料館を視察してほしいと思っていました。自分たちが判断を一つ間違うと何を引き起こしてしまうのか。それを考えてほしかったのです。

短い時間だったとはいえ、首脳たちは平和記念公園を訪れて原爆資料館を視察し、被爆証言者の小倉桂子さん（85）との対話が実現しました。

資料館を出てきた首脳の中には、口元を押さえるなど険しい表情も見えました。ただ、視察した内容や小倉さんとのやり取りは公表されておらず、芳名録へ記したメッセージには「私が」と主語を明確にしたものがありません。

首脳それぞれが一人の人間としてどう思ったのか、明らかにしてほしいです〉

確かに、「一人の人間として」どんな思いを抱いたのかということも大事かもしれません。

しかし、彼らはそれぞれの国家を代表して広島を訪れているのであって、プライベートで観光に来ているわけではありません。バイデン大統領ならアメリカを、マクロン大統領ならフランスを代表してあの場に立っている。ですから、田中さんが「一人の人間としてどう思ったのか、明らかにしてほしいです」と言って拗ねたって、そうはいきません。政治家としてそんなことはあってはならないことです。「大統領である前に人間なのだ」と元文科省の前川喜平さんが言ったってダメです。

たとえばバイデンさんが万一、「原爆を投下すべきではなかった」と思ったとしてもそんなこと、ちょっとでも口にしたら大変なことになる。政治家生命が終わります。それは祖国を裏切ることだからです。アメリカとしては原爆投下について日本に公式謝罪することはできない。「立場を超えて、一人の人間として」という言い方は俗耳に入りやすく、いかにももっともらしく聞こえますが、政治家というのは「一人の人間」になってはいけない立場にあるんです。

天皇や国王ともなればなおさらです。昭和天皇は戦後、「人間」になられましたが、相撲好きで知られた陛下は、ごひいきの力士の名を絶対に口になさいませんでした。記者会見で好きなテレビ番組を聞かれた際には微笑みながら、「立場上、申し上げることはできません」とユーモアたっぷりにお答えになられました。

我が岸田総理だってそうです。息子の出来が良かろうが悪かろうが、一人の人間として息子が可愛くないはずはない。だけど、首相秘書官として世の批判を浴びるようなことになったら、首相として更迭しないわけにはいきません。そうでなければマスコミも国民も納得しないでしょ。それは「一人の人間として」ではなく、「首相として」の判断が求められるからです。「一人の人間として」などという主張は極めて感傷的です。世の中を舐めるんじゃない。

「広島の声」って何ですか

そもそも「カクワカ広島」ってどんな組織なんでしょうか。ご本人が語っているのでその自己紹介を引用しておきましょう。

〈「カクワカ広島」は、2017年にノーベル平和賞を受賞した核兵器廃絶国際キャンペーン（ICAN）やカナダ在住の被爆者のサーロー節子さん（91）との出会いを機に発足し、（核兵器禁止）条約への賛否を聞こうと与野党議員への面会や国政選挙の候補者へのアンケートに取り組み、ウェブサイトやSNSでの発信などをしてきました。

広島選出議員の多くとは面会が実現しましたが、広島1区選出の岸田文雄首相には会えていません。

「核廃絶はライフワーク」と公言する岸田首相は、サミット閉会の記者会見では達成感にあふれた表情でした。

しかし、広島ビジョンには「いつまでに、どれだけの核兵器を減らす」という具体的な数値目標や行程表もありません。

サミットに合わせて来日したサーローさんからは「あれが広島の声だと思われたくない」と憤りの言葉を聞きました〉

与野党議員や選挙立候補者にアンケートして、その結果をネットで発信する活動にどれほどの意味があるのか疑問です。まして、首相が会ってくれないのがさもいけないことのように言うのは、ちょっと傲慢じゃないでしょうか。なんで一国の総理大臣があなたたち活動家といちいち会わなければいけないのか。政治家は我が国の平和と安全を守る具体的な活動に時間を使ってほしい。申し訳ないけれど、活動家の人たちと会っている暇なんてないんじゃないかと思います。

サミット閉会の記者会見で達成感にあふれた表情をして悪いということはないでしょう。

議長国としての責任を果たし、ロシアの核兵器の脅威に直面しているウクライナのゼレンスキー大統領の参加も実現して、世界中から「よくやった」という声が上がっていたんですから。

広島ビジョンには「いつまでに、どれだけの核兵器を減らす」という具体的な数値目標や行程表もないというけれど、どうやって行程表を作れっていうんですか。じゃあ田中さんに聞きますけど、ロシア、中国、北朝鮮が「いつまでにどれだけ核兵器を減らしてくれますか」って聞かれて、まともに相手にすると思いますか。ひっぱたかれることもなく無視されるのがオチでしょう。具体的な行程表を作れって、それ本気で言ってます？

先ほど申し上げたとおり、核武装は北朝鮮の国是です。核兵器とミサイルがあるから北朝鮮は生きていけるというのは勝手な思い込みじゃないんですよ。独裁国家で、人権も認めない北朝鮮のような小国の指導者にトランプ米大統領が会ってくれるのは、核を持っているからじゃありませんか。長距離ミサイルも持たずに妹の金与正がアメリカを「稀代のギャング国家、悪の帝国」呼ばわりしたって笑って相手にもしてくれません。もしアメリカを怒らせたらリビアのカダフィーやイラクのサダム・フセインと同じ末路をたどるだけです。だから、いくら国際社会が容認できなくても、北朝鮮が核を手放すまでの行程表なんて作れるはずがないんです。

サーローさんは「あれが広島の声だと思われたくない」とお怒りだそうですが、「広島の声」ってどんなものなのか、私にはよくわかりません。「広島の声」って一つなのでしょうか。「安らかに眠ってください。このかたきはきっととりますから」と言う人はいないにしても、広島県民の中にも核武装論者はいるんじゃないでしょうか。

私は高校生の時、長崎の原爆資料館を訪れて、本気で思いました。こんなに悲惨なことを二度と起こしてはならない。もう絶対に原爆を落とされないためにはどうしたらいいか。そのためには日本は核武装をすべきだ。核兵器を廃絶することよりも使わせないことが大事なんだと。私と同じことを考える人は、広島にも必ずいるはずです。

田中さんは、「今回のサミットの意義を認めない」と、いよいよ本題に入ります。

被爆者＝核廃絶と決めつけるな

〈ウクライナのゼレンスキー大統領の出席という驚きもあり、サミットを終えて「歴史的一歩」「よくやった」と礼賛の声があふれています。

でも、結果を簡単に受け入れてはいけない。悪気のない称賛には、見えない暴力性があります。

核廃絶を願い、待たされ続けている被爆者の方々の存在に敏感になるべきです〉

結果を受け入れてはいけないとおっしゃいますが、国際的にも、今回のG7サミットは受け入れられています。「悪気のない称賛には、見えない暴力性がある」って、ちょっと何言ってるかわかりません。そんな暴力的な人いませんよ。「ゼレンスキーまで呼んで、各国首脳を原爆資料館に連れて行って、みんなで犠牲者を追悼して、よくやったじゃないか」と言ったら暴力なんですかね。いま岸田を褒めたな、広島サミットを称賛したな、それは暴力だぞということになるんでしょうか。

被爆者の方々全員が本当に核廃絶を願い、地球上から核が消滅するのを待っていると決めつけるのもどうかと思います。何度も言いますが、被爆者の中にもいろんな考え方の人がいるはずです。「オール沖縄」という言い方もそう。じゃあ「オール沖縄」と戦っている市長や議員は沖縄の人間ではないのか。そういう全体主義的な言い方はいいかげんにやめたらどうでしょうか。

被爆者という言葉が、「こちらにおわすお方をどなたと心得る。恐れ多くも核廃絶の象徴にあらせられるぞ。え〜い頭が高い、控えおろう！」と葵の御紋のようになっていますが、被爆者の中にはこういう方もいる、こう考える方もいるというふうに捉えるべきではないでしょうか。全被爆者を代表する人なんてあり得ないと思うんですよ。被爆者をないがしろにするつもりはありません。しかし、一部の被爆者の声を被爆者代表の意見としてしまう風潮には危険なものを感じます。

「戦争体験者は語る」っていうパターンもそうです。戦争経験者の中にだっていろんな人がいます。もう戦争はこりごりだという人もいれば、今度こそ負けないぞという人がいてもおかしくない。

まあ総理大臣なら日本を代表すると言えるでしょう。それだって、支持しない人もいれば野党もいますから、総理が全日本国民を代表してと言っても「俺はお前と一緒にされたくない」と文句をつける人もある。非政治的な天皇陛下にしても、日本共産党のように天皇を認めないおかしな人だっているわけです。

だから、被爆者代表、戦争体験者代表を担ぎ上げて、これが被爆者の意見、これが戦争体験者の意見、ひいては日本人全体の総意であるかのように一つの色に染め上げるのはおかしいのではないでしょうか。

日本はすでに核で守られている

田中さんは主張します。

〈だから「水を差すな」といくら言われても、核兵器が使われるリスクが高まっている中だからこそ広島から核兵器と戦争に反対を訴え、行動しなければならないのです。

サミット期間中は海外メディアからも多く取材を受けましたが、日本では若い人たちの運動があまり活発でない現状は知られているようでした。

サミット期間中にあったデモ行進に参加する前、ドイツメディアから参加者の規模を聞かれ、「300人くらい」と答えたら、「3000人の間違いではないのか」と驚かれました。

街頭行動に大勢が参加するのが当たり前の欧州からすると、「なぜ声を上げないのか」と疑問なのでしょう。

私たちの活動はまだ大きなことを生み出したわけではなく、悔しい思いはありますが、何も行動しなければ「おかしい」と思うシステムに加担し、その犠牲になっている人たちをさらに踏みつけることになってしまいます〉

「行動しなければならないのです」のところ、「私たちは行動しています」みたいな言い方ができないものですかね。「行動しなければならない」と言うと、行動していない広島の人たちは怠惰な存在みたいに聞こえる。それは傲慢というものです。

日々の生活に追われている人や、忙しくて「行動」できない人だっていっぱいいるはずです。そういう人たちが一生懸命働いて税金を納めている。その納税のおかげで広島も日本も成り立っているわけです。だから、あまり高飛車な物言いはやめたほうがいい。

「日本では若い人たちの運動があまり活発でない」。あのね、運動さえすればいいってもんじゃないでしょう。若者がデモをして「核兵器のない社会を」って騒いで、それで本当に北朝鮮、中国、ロシアの核兵器がなくなるんですか。まじめに考えればそんなことあるわけがないとわかるでしょ。デモによって変わる可能性がほんの少しでもあるならデモの意味もある。でも「デモに参加し声を挙げないことは悪い」という考え方は納得できません。

私は政治的な人間ですが、デモなんてやったこと一度もありません。そんなことより仲間を市政、県政、国政の場に送り込むことを考えますね。デモをやっても何も変わらない。私はそう信じています。申し訳ないけど、自己満足の一種にしか見えません。

デモの人数が3000人ではないのかと驚いたというそのドイツ人に、むしろ私は驚きます。なんでそんなにデモに参加することが好きなんですか。「お宅の国は民衆が政治に熱狂してナチスを生み出したんじゃないの」と嫌味の一つでも言いたくなります。街頭行動に大勢が参加するのが当たり前だとしても、「いちいちお宅たちの流儀でものを測らないでくれ」と申し上げたい。フランスなんて何かといえば街に出て暴力的なデモをしていますよね。田中さん、日本をそんな国にしたいんですか。

デモという行動をしないからって、「犠牲になっている人をさらに踏みつける」ことにはなりません。おかしいと思うシステムを実際に変える具体的な方法をまじめに考えることが本当の「行動」じゃないんですか。デモで人が集まって、「やった〜！」と騒いでも現実は全く変わりません。だけど、田中さんは悪いことばかりではなかった、とも言っています。

〈サミット開幕日の19日にNHK広島の特集番組で同席した小倉さんは、心から満足されていました。

核廃絶に人生をささげてきた方がG7首脳の前で話せる時間を実現できたのですから。被爆者の方はこれまでも「核廃絶に近づいた」と期待させられながら何度も裏切られてきました。

小倉さんの喜びを心に焼き付けます。これを裏切るようなことを許してはなりません〉

小倉さんがそういう時間を持てて心から満足されていたのなら、岸田総理がそういう時間を作ってくれたことに感謝して、その部分を評価すべきではありませんか。感謝するどころか、「小倉さんの喜びを裏切るようなことを許してはいけません」みたいに相変わらず上から目線なのはなぜでしょう。それは習近平、プーチン、金正恩に向かって言うべき言葉じゃないんですか。冷静に考えてみましょう。日本に核兵器はありませんよ。

〈私たちのロードマップでは、次の山場は秋に予定されている核兵器禁止条約の第2回締約国会議です。

広島でのサミットの結果を踏まえて、改めて岸田首相やその他の与野党国会議員にアプローチし、日本政府が会議にオブザーバー参加するよう求めていきます。

同じG7でもドイツは22年の第1回締約国会議にオブザーバー参加したのですから。

市民の側から核廃絶を求める声を上げ続けなければ、政府へのプレッシャーにならない。

目の前の政策を変えていく運動を続けていきます〉

オブザーバー参加など求めていく必要はありません。何でドイツがやったからって日本もやらなくちゃいけないんですか。ドイツが何をしようが、それに倣う必要などないでしょう。昔、白鳥敏夫とか大島浩のような〝ドイツ大好き〟軍人、外交官がいっぱいいました。彼らは「ドイツはこうやっている。バスに乗り遅れるな。ナチスができたぞ、ほらドイツを見倣え。三国同盟だ！」と騒いでいた。その結果、どうなったか。日本は国を誤る方向に進んでしまいました。ドイツはドイツ、日本は日本です。

日本は核兵器とは無縁のように思っている人がいますが、そもそもそれが間違いです。世界はそうは見ていません。我々はアメリカの核の傘の下で生きているんです。

２０１５年のことですが、ロシアが核兵器の先制使用を想定した大規模演習を行い、広島市と長崎市がロシアに抗議文を送ったことがあります。すると、当時のアファナシエフ駐日大使の署名入りの返書が届いた。その中に、こんな文面がありました。

〈**日本がどこの国の「核の傘」に依存しているかはよく知られている。このことは、被爆者の平和への思いとまったく矛盾している**〉

そのうえで、「広島と長崎に原爆を投下したアメリカこそ抗議の対象ではないか」と反論しているんです。要するに、アメリカの核の傘から出て来い、それからモノを言えということですよ。私は、このロシアの言い分は非常に筋の通ったものだと思います。

ロシアとは決して価値観を共有できないし、日本から北方領土を奪った許しがたい国だと思っていますが、これに関してはロシアの主張に分がある。日本がアメリカの核に守られているというのは国際的な常識です。日本に核攻撃したらアメリカが黙っていないだろうと思われていることが最大の抑止になっているんです。

日本はアメリカの核によって守られているという現実を直視して、もう一度国際情勢をしっかりお勉強されることをカクワカ田中さんにはお勧めします。残念ながら勉強が足りない。デモで政治が変わるなんて、いつまでも中学生気分をひきずっているんだ！　いい加減にしろ！

（2023年5月30日）

第9講　ウクライナ人に軽蔑されたマンガ家・倉田真由美さん

命をかけて何かを守るのは愚かなことだろうか

これまでも、「ゼレンスキーよ、銃を置け」などとプーチンを利する発言を繰り返す鈴木宗男さん、「ただむやみに戦うだけじゃダメだ、逃げる選択肢もある」とワケのわからない説を口走った橋下徹さんなど、とんでもない人たちがいましたが、そこにもう一人、倉田真由美さんというヘンチクリンな〝反戦主義者〟が登場しました。

この方の本職はマンガ家だそうですが、私、マンガを読まないものですから、存じ上げませんでした。ただし、ツイッターを見る限り、よほど非現実的な物語を得意とされる方ではないかと拝察します。まず、この方が5月31日にツイートした内容をご紹介しましょう。

〈もし自国で戦争始まったら、「絶対勝ちたい」より「一刻も早く戦争やめてくれ」だよ。だから「頑張れよ」と背中押しながら武器をくれる国なんか、ありがたいわけない〉

明らかにウクライナを念頭に置いた発言ですが、簡単に言うと、他国に攻め込まれたら、抵抗せずに降伏しろという見飽きた主張ですね。

たとえてみればこういうことです。強盗が凶器を手にして襲いかかってきました。ご主人は、誰かが貸してくれたバットで応戦します。倉田さんは、争いはやめてくれと叫ぶ。ご主人がみごとバットで強盗を追い払ったとしても、バットを貸してくれた人に感謝なんかしない。それどころか、ご主人がケガでもしていたら、なまじ武器を手にしたせいで暴力に訴えたのが間違いだったと、バットを貸してくれた人に損害賠償を要求しかねません。

これだけですでにどうしようもないのですが、彼女はさらに、こう締めくくります。

〈自分や自分の大切な人たちの命を懸けていいものなんか、この世にない〉

果たしてそうでしょうか。

一見、高尚なことを言っているようですが、これは世界的に見れば特殊な考え方です。命をかけて戦う、命を賭して何かを守るのは愚かな行為だというのは相当にニヒリスティックな思考と言えます。これは宗教的な価値観に重きを置く人にはまったく理解できないでしょう。

別に宗教家や、祖国防衛のため戦地に赴く兵士を例に出さなくても、日常生活を営む我々の身の回りにも、自分の命をかけて戦っている人は大勢います。たとえば消防士の皆さんは火の中に逃げ遅れた人がいれば命がけで救助活動をします。自衛隊や警察も同じです。自らの感染の危機をいとわず必死に新型コロナ患者の治療と看護にあたった医療関係者の姿を、もうお忘れでしょうか。

それを考えるだけで、倉田さんの言っていることの浅薄さがおわかりいただけるだろうと思います。

この人のツイートには瀧本邦慶さんという方の言葉が引用されていました。旧日本海軍にいた方で、晩年は反戦の講演活動をされていたらしいのですが、こういうことを言っています。

〈若者よ、私のようにはだまされないでくれ。「国を守る」などという耳に心地よい言葉に惑わされないでくれ。若者を戦争で殺す。その戦争でもうける。それが戦争なんだ。そんな戦争なんかに行くな。頼むから命を大切にしてくれ〉

これ、ロシア兵に向かって言うのならわかりますよ。今度の戦争はウクライナの人々を不幸にし、祖国ロシアの国際的な地位を危うくして国家を弱体化させるだけの愚かな侵略戦争だから、いますぐ攻撃をやめて国に帰れ、命を大切にしてくれと。しかし、ウクライナの場合、若者が戦争に行かなければ祖国が滅びるんです。

瀧本さんが戦争中過酷な経験をなさったことは間違いないとしても、祖国防衛を否定する論理には納得できません。若者が戦争で戦わなければ、平和は守れるのでしょうか。現に侵略軍が領土に侵入しているのですよ。罪もないお年寄りや女性、子供が狙われるかもしれない。そうした弱者を見殺しにしても構わないというのでしょうか。ありえない理屈です。

世界的に珍しい「病んだ思想」

「命をかけて守るべきものなどない」という考え方、これは倉田さんご自身が考えに考えぬいて独自にたどり着いた思想ではなく、実はそう考える人が我が国には意外なほど多い。これは戦後日本の特殊な平和主義の下でしか生まれてこない考え方だろうと思います。

一般には祖国を守るために命をかけて戦うというのが国民国家の健全な在り方です。これは右翼だの左翼だのという問題ではありません。戦前のオールド・リベラリストとして知られる河合栄治郎という経済学者がいるんですが、彼は社会思想家でもあって、まずマルクス主義を批判しましたから、当初は保守系の学者と見られていました。

しかし、やがて軍部が暴走を始め、五・一五事件や二・二六事件が起きると、いち早く軍国主義批判の声を上げています。すると今度は軍部からも学界からも左翼と見なされ、著書は発禁となり、大学も休職を余儀なくされました。彼は人生のすべてをかけて左右の全体主義と戦い続けた学者であると言っていいでしょう。

それでも河合は、戦争が始まると、祖国のために戦うのは当然のことだと主張しています。これが本来のリベラリストの在り方だろうと私は思います。彼のことは拙著『リベラル」という病　奇怪すぎる日本型反知性主義』(彩図社)にくわしく書きましたので、もしご興味がおありでしたら、ぜひお読みください。

同胞がむざむざと殺されるのを見ながら知らぬ顔をし、自分の国が滅びるのを座して待つのが正しいという発想は、戦後の憲法9条の思想とみごとに通底するものです。日本が二度と欧米に刃向かわないよう、国のために戦うことは間違っていると洗脳したところ、予想以上の効果を上げ、日本人は「なんで国のために命をかけなくちゃいけないの。自分や自分の大切な人たちの命を懸けていいものなんか、この世にない」と、お口をそろえてチイチイパッパと歌うようになりました。

でもね、倉田さん。あなたがいまそうやって日本国民として生きていられるのは、祖国の危機に際して身を挺して戦った人たちがいたからです。たとえば日露戦争で我々が勝利していなかったら日本はいまごろどうなっていたか。日本が連合軍に降伏した直後、しめたとばかり北方領土から北海道に攻め込んできたソ連軍と戦って撃退した人たちがいなかったらどうなっていたでしょうか。おそらく日本は一部ロシア領になっていたでしょう。

そこの公用語はロシア語で、私の名字も岩田ではなく、イワノフとかイワタヴィッチみたいな、わけのわからん名前になっていたかもしれません。世界史をふりかえってみれば、国が滅びた例なんていくらでも出てきます。枚挙にいとまがないくらいです。

国が滅びた後はどうなるか。「わーい、戦争が終わったハラショー、平和な世界がやってきたウラー!」というわけにはいきません。虐殺が行われ、男は奴隷にされ、婦女子は凌辱され、国民全体が民族浄化の危機に直面します。

たまたまアメリカが日本を占領し、分割統治もされなかったから、幸運にも日本はそんな酷い目に遭わずにすみました。いや、実際は報道されなかっただけで、米兵による暴力事件や婦女暴行は各地で起こっています。ただ、米軍の組織的暴力はなかった。しかしその代わり、長い時間をかけて日本人に対する洗脳や思想教育が行われ、いまも我々は閉ざされた言語空間の中にいます。だから倉田さんのようなことを言う人がいまだにいるわけです。

それでも、民族そのものが絶滅の危機に直面することはなかった。これは本当にラッキーだったと思わなければいけません。いまウイグルやチベットで中国人が行っているような民族弾圧、民族浄化が日本国民に対して行われていても不思議はなかったんです。だから、「原爆を落とされるまでダラダラ戦争を長引かせたからいけないんだ、早く降伏しちゃえばよかったんだよ、そうすれば戦死者も民間人の犠牲者ももっと少なくてすんだのに」なんて意見が出る始末です。これは端的に言って後知恵です。

戦争で負けたらどうなるかわからないという思いが当時はありました。これは世界史をみれば妄想でもなんでもない。とくに、人種差別がいまよりずっと激しい時代ですから、現実に起こり得ることでした。だからこそ日本人は必死に戦い続けた。当たり前のことです。武器を持たなければ平和になるなんていうのは、はっきり言って戦後日本の平和憲法という病に侵された人にしか通用しない、世界でも珍しい特殊な考え方です。というより、軽蔑の対象でしかありません。

だから、ウクライナ出身の政治評論家ナザレンコ・アンドリーさんが、倉田真由美さんのツイートに対して、こう返したのは当たり前なんです。

〈**最初は例え話をして、この虚言のくだらなさを教えようと思ったが、理解力ある人ならそもそも加害者を利するこんな見苦しくて侮辱的な発言できないと気づいた。ウクライナ国民は貴方と貴方のような人を敵以上に蔑視していることだけ伝えておく**〉

ウクライナの人々はなぜ戦うのか

倉田さんをはじめ虚言を弄する理解力のない人々は、先述したように世界史にも疎いようですから、ウクライナがなぜロシアの侵攻に対してこれほど必死に戦っているかもご存じないでしょう。それは、いまから90年前にウクライナで「ホロドモール」と呼ばれる大飢饉が起こったからです。「ホロドモール」というのは「飢餓による虐殺」という意味です。

1932年から33年にかけて、当時、ソ連の一部だったウクライナが穀物の強制徴発令を拒否した報復として、スターリン政権は強制的に食料を没収し、そのためウクライナでは数百万人が餓死しました。独裁者スターリンがウクライナ人の大虐殺を行ったわけです。

この時のウクライナの惨状について、イギリスの歴史学者ロバート・コンクエストは『悲しみの収穫　ウクライナ大飢饉――スターリンの農業集団化と飢餓テロ』（恵雅堂出版）でこんな証言を紹介しています。

〈（ウクライナの）村で私が見たのは、孤独のまま極めて緩慢に、なぜこんな犠牲になったのかという説明も聞かずに、ゾッとするような死に方をしてゆく人々であった。彼らははるかに遠い首都において会議や宴会のテーブルを囲んでなされた政治的決定によって自らの家に閉じ込められ、飢えたまま置き去りにされていた。この恐怖から何とかして救い出してくれるような慰めはどこにもなかった。最も恐ろしい光景は、風船のように膨らんだ腹から骨だけの足をぶら下げている小さな子供らであった。子供らの顔は飢餓によってあらゆる若さのしるしを失い、苦悶にゆがんだ奇怪な容貌を呈していた。ただ目の中にはまだかすかに子供の名残があった。いたるところで我々はうつ伏せになった男や女を見た。彼らの顔と腹は膨れ上がり、目はまるで無表情であった〉

「苛政は虎よりも猛し」という孔子の言葉があります。「苛政」というのは苛酷な政治、酷い政治という意味です。ある時、孔子が泰山のふもとを歩いていると、一人の婦人が墓の前で泣いている。わけを尋ねると、「以前、舅が虎に襲われ、次は夫が、そしていままた子供が虎に食い殺されたのです」と言う。それなら、なぜこの地から出て行かないのかと聞くと、「ここで行われている政治は苛酷ではないからです」と答えた。孔子は「苛政は虎よりも恐ろしいのだ」と弟子たちに語ったというのです。

毛沢東も、独善的な農業政策のせいで4500万人の農民を餓死させたと言われています。日本人は全体主義の怖さを知らなすぎるのではないでしょうか。

ウクライナの人々は、いまもスターリン時代の大飢饉（ホロドモール）を忘れてはいません。ヨーロッパ各国も同じです。EU欧州議会も、世界的な食糧不足をもたらしている今回のロシアによるウクライナ侵攻は、「ソ連の過去の行為を想起させる」と批判しています。

ウクライナの人々の目には、プーチン大統領が独裁者スターリンにダブって見えているのかもしれません。もしウクライナが再び全体主義の支配を受けたらどれほど恐ろしいことになるか、どんな扱いを受けるかわからない。だからこそ、彼らは懸命にロシアと戦っているのです。「絶対勝ちたい」んですよ。だから「頑張れよ」と背中を押しながら武器をくれる国がありがたいに決まっているじゃないですか。

そういうウクライナの切実な思いも知らず、戦後日本でしか通用しない国際的な基準で見たら常軌を逸した平和主義をがなり立てることは、世界平和のためには何の役にもたちません。それどころか、倉田さんの発言は、ウクライナで戦っている人たちに対して失礼きわまりない。いや、ナザレンコさんが言うようにウクライナ人に対する侮辱です。倉田さん、あなたは軽蔑されてしかるべきです。マンガ家を名乗るのなら、もう少し想像力を働かせて歴史を勉強されてはいかがですか。

世の中に向けて意見を発信するからには、歴史的にこういう事例があったということは忘れないほうがいいのではありませんか。そういう記憶があるからこそ、ウクライナの人たちは必死に戦っている。だから、私はこの手の浅はかな平和主義、あるいは陰謀論に加担するわけにはいかないと考えているのです。

妄想をがなり立てる平和主義者よ、いい加減にしろ！

（２０２３年６月２日）

第10講
池上彰×ラサール石井「反政府だとテレビに呼ばれない」え？

あなたも反体制フォークも「中道」ではありません

今回は豪華・悪夢の共演がテーマです。共演というより「狂演」と言ったほうが的確かとも思いますが、２０２３年1月15日の毎日新聞に掲載された池上彰氏とタレントのラサール石井氏の対談におけるまさかの発言の数々を広くご紹介したいと思います。

タイトルは〈**いつの間にか世の中が『右』に**〉です。かたわらに〈**池上彰のこれ聞いていいですか？**〉というサブタイトルが付いているので、池上さんが毎回ゲストを呼んで話を聞く、という企画のようです。

リード文を読んでみましょう。

〈**芸能人の政治的な発言はタブー視される傾向が強く、時にはバッシングされることもあ**

る。そんな風潮でも、お笑いタレントで俳優のラサール石井さん（67）は、ツイッターやコラムなどで積極的に自らの考えを発信している。批判や反論が殺到し「炎上」することもあるが、ひるまない。ジャーナリストの池上彰さんとの対談では政治批判や、芝居への情熱などを語った〉

まあ芝居への情熱はけっこうなことですが、「批判や反論が殺到」するのは、それが政治的な発言だからではなくて、言っていることがおかしいからです。別にラサール石井さんに限らず、タレントさんが政治的な発言をするのはかまわないと思うんです。それが常識的なものであればね。だけど、ラサール氏の日頃の発言って、本当にむちゃくちゃなんです。

で、冒頭、池上さんはこう言います。

〈池上　ツイッターを読みましたが、政府を批判するラサールさんの意見には非難や攻撃的な返信が数多く寄せられています。この状況を見るとネトウヨ（ネット右翼）たちと闘っているという印象です〉

出ました。最初から飛ばしてくれています。ラサール石井氏に批判的なコメントをしているのは「ネトウヨ」であると、池上さんは言い放っている。では「ネトウヨ」とは何か。

それを理解するのに格好の1冊があります。『政治学者、ユーチューバーになる』（ワック刊）という本です。

帯には〈**「ネトウヨ」と罵られても私は挫けない！**〉とあります。ネトウヨ、つまりネット右翼と呼ばれようが、ドンと来い、という勇ましいアピールです。その第3章、〈**「ネトウヨ」は言論封殺のためのレッテルでしかない**〉という項目には、ネット右翼という言葉について、こう書かれています。

〈（ネトウヨという言葉は）「インターネット上で右翼のような頭の悪い発言をする輩」という差別的な意味合いで使われている。そこには、「ネトウヨ＝悪い」という図式が存在している。

自分と意見の異なる主張をする人々を貶める際に、切り札のようにネトウヨとの断定が行われる。

「お前はネット右翼（ネトウヨ）だ！」と決めつけた時点で、「ネトウヨの意見は、ネトウヨである時点ですでに間違っているから、議論にならない」と問答無用で切り捨てる。これは、ある意味では自由民主主義の否定と言って良い。誰でも自由に意見を言え、表現の自由が認められるのが自由民主主義社会だからだ〉

まさしくそのとおりです。いやあ、いいことが書いてあるなあ、いったい誰が書いたんだろうと思ったら岩田温、私でしたか。皆さんも、この章だけでもいいですから、ぜひお買い求めのうえ、お読みください。絶対に損はさせませんよ。

さて、冒頭の池上さんの発言に対して、ラサール石井氏は〈**「パヨク」なんて言われています**〉と答えています。この「パヨク」という言葉にも説明が必要ですね。たしか左翼の人が「ぱよぱよちーん」とかいう挨拶をしていたところから、左翼をからかうネットスラングとして使われるようになったらしいんですが、私はあまりこの表現が好きじゃないので使いません。

そもそも右翼・左翼という言葉にはきちんとした語源があります。

フランス革命期の１７８９年、フランス初の憲法を定める会議で、議長席から見て右に座っている王権派・貴族派を「右翼」、国王の権利を制限せよと主張する急進派が左側にすわっていたので「左翼」と呼んだのが始まりです。そういった歴史的な意味と経緯がある言葉なんです。

何言ってるんだ、アメリカでも「左翼」という言葉を使っているけれど、アメリカには王政はなかったじゃないかとおっしゃる方もおられると思いますが、そのとおりです。時とともに意味がどんどん拡大し、のちに主として社会主義者を指す言葉になりました。
ですから、ラサール氏のこともきちんと「左翼」と呼んであげたほうがいいと思うのですが、ラサール氏は「パヨクと呼ばれている」と言った後、続けてこう語っているんです。

〈僕自身は昔からずっと中道のつもりでいるんですけどね〉

私は思い切りズッコケました。これ、お笑いのネタなのかなと思ったくらいです。ところが、そうではなかったらしくて、ラサール氏は大マジメにこう続けます。

〈我々の若い頃は反体制フォークの時代。政府に批判的な立場にいることは当たり前でした。でも、いつの間にか世の中が「右」に寄っていって、気が付いたら「左」と言われるようになっていたんです〉

そりゃあ、ラサール氏が「中道」だったら、世の中ぜんぶ「右」に見えますよ。でも、このラサール氏の言い方自体、間違っていると思いませんか。だって、「反体制フォーク」というのがそもそも「左」だったわけですよ。
いちばんわかりやすいのが、「いちご白書をもう一度」でしょう。ユーミン(荒井由実)が作って、ビリー・バンバンが大ヒットさせた曲ですが、あの歌詞の中に、「僕は無精ヒゲと髪を伸ばして学生集会へも時々出かけた」けど、「就職が決まって髪を切ってきた」という箇所があります。要するに左翼かぶれのヘタレの歌なんですね。

この曲の舞台になっている60年代後半は、ベトナム戦争や70年安保に反対する学生運動が真っ盛りの時代で、学生集会に出かけるのが当然のような時代の雰囲気がありました。その中心に「反体制フォーク」があったわけです。これのどこが「中道」なんですか。

安保反対を叫んでデモをしていた人たちが、自分たちは中道だと思っているなんて、いまから考えたらあり得ない。この人たちは正真正銘の「左翼」です。

いつの間にか世の中が「右」に寄っていって、気づいたら「左」と言われるようになっていたんじゃなくて、あなたはもとから「左翼」で、そのまま「左」に居続けているから、世の中がどっちに寄ろうが、あなたは「左」と言われる。なんの不思議もありません。

世の中は変わっていくのが常です。よどみに浮かぶうたかたも、片時もとどまることはありません。2020年代の現在、憲法9条だけ守って非武装中立でいれば平和であるというような考え方は、さすがに支持を得られなくなりました。社会党もずいぶん前につぶれました。それは当たり前ですよ。そう主張していた人たちは狂信的な左翼だったんです。

それなのに自分は「中道」だと思い込んで、勘違いしている人がいるとは思いませんでした。ラサールさん、あなたは「左」、それも「極左」です。断じて「中道」なんかじゃありません。

あなたが中道のつもりでいると公言するのがもし本気だとすれば、その自己認識が間違っています。ご自身の発言、ご自身が書かれているものを省みて、それでも中道だと思うのであれば、それは確かに世の中「右」に見えます。そりゃそうですよ。あなたは極左の立場なんだから。

その点、私は正直ですよ。自分が「中道」だなんて思ってやしません。保守ですよ。まぁ極右って言われたらちょっとね、排外主義者みたいなニュアンスが入ってきますから、極右ではないなと思います。でも、「おまえは右翼か」とからまれて面倒くさい時は「バカヤロー、俺は極右だ！」と答えることにしています。『ドラゴンボール』だと「オッス、オラ悟空！」になるところですが、私の場合は「オッス、オラ極右！」です。もちろん冗談ですよ。

私は保守主義者であると自認していますが、リベラリズムの良い点も尊重しています。「多元性の擁護」を唱えた『自由論』の著者、アイザイア・バーリンのような自由主義者は私の尊敬の対象です。日本人では、オールドリベラリストと言われる河合栄治郎ですね。私自身はわがままな人間ですから、個人の自由をできる限り尊重しようという考え方は好きです。

ただ、伝統というものをすべて破壊していいのかといえば、それはいかんでしょう。保守主義と自由主義の両方の良質な部分を受け入れるのが大事だと私は思います。絶対に変えてはならないものもありますが、何がなんでも伝統を墨守せよ、権威には絶対服従せよとかいうのは違うでしょう。いまも残る差別だとか、多くの人々に負担を強いる伝統とかを少しずつ変えていくことを私は否定するつもりはまったくありません。

テレサヨ、ネトウヨを笑う

さて、そんな自称中道、実は極左のラサール石井さんに、池上さんはこう応えます。

〈池上　政府を批判するのは、民主主義国家ならば当たり前のことです。それでも、タレントや俳優といった方々が政治的な発言をすることに疑問を感じたり、批判的に捉えたりする人が多くなっているようです〉

政府のすることをすべて否定しなければ民主主義国家じゃないというような言い方をするのはおかしくありませんか。たとえば国民の財産や生命を守るのに有利な政策であれば賛同するのは国民として当たり前でしょ。それが民主主義国家じゃないんですか。昔の社会党みたいにすべて批判していたら何も決まらないじゃありませんか。

たとえば平和安全法制を私は一貫して断固支持しています。今回、岸田内閣が敵基地攻撃能力の保有を決めたことも高く評価します。集団的自衛権を使えるようにすることは日本を守るために絶対必要だから賛成する。これ、当然でしょ。

だから、「政府の言うことに賛成する自由もあれば、反対する自由もある」と言わなければおかしい。池上さんの言い方は意図的かどうかはともかく、明らかなミスリードですよ。いったいどういうつもりなんですか。

まあ池上さんに言葉の正確な使い方を求めるのは酷なのかもしれませんが、政府がやろうとしていることに賛成しちゃいけないんですか。憲法を改正しようと言ったら国民全員が反対すべきなんですか。それは違うでしょ。

政府の方針に対して、賛成または反対と是々非々で国民が自分の意見を表明できる。これが民主主義国家ですよ。中国や北朝鮮にはそういう自由がないんです。党や政府から言われたことにはすべて「イエス」と言うしかない。日本でイエスとしか言えないのは「イエス高須クリニック」だけです。

タレントや俳優が政治的な発言をすること自体は悪いことじゃありません。ただ、人気商売ですから、それによってタレントたちに政治的なイメージがついてしまうのは不利なケースが多いことは確かです。私がびっくりしたのは、あの『ラストサムライ』の渡辺謙さんが集団的自衛権に反対していたことです。これにはちょっとガッカリしました。このように「左」とか「右」のイメージを持たれたくないので政治的発言を控える俳優やタレントがいるのは理解できます。「左」からも「右」からも応援してほしいですからね。

よく言うでしょう。食事の際のマナーとして、政治と野球の話はするなって。野球については ひいきチームが同じならいいですけど、ライバル・チームだったり因縁の相手のファンだったりすると、食事そっちのけで悪口の言い合いになります。政治の話も意見が対立すると大変です。食事の席が討論の場になってしまいかねません。

私は俳優でもタレントでもなく、政治学者ですから、政治の話ばかりしています。政治について考えない日はありません。ちっちゃなころから反共で、政治に興味がありました。友だちがサッカーのワールドカップで盛り上がっている横で、ひとり自民党総裁選に熱くなっていたのが私です。

やっぱり、ちょっと変わっていたのかもしれません。政局に注目して派閥抗争の行方を占ったり、都知事選の結果を分析したり、要するに政治マニアだったんです。私が政治的発言をしなくなったら、ほぼ何の価値もありません。私から政治を取ったら何も残らない。歌を忘れたカナリアです。黙々と走る選挙カーみたいなものです。

それはともかく、ラサール氏はタレントの政治的発言を疑問視する風潮に対して、次のように語っています。

〈正直なところ「昔のテレビ業界ならば、このぐらいの発言は問題にはならなかったなあ」という感じはありますが〉

それが本当なら、昔のテレビ業界がいまよりさらに左翼だったからです。私はテレビ業界を支配する左翼と、ネット情報に疎くてテレビばかり観ているために左傾化した人々を、「ネット右翼（ネトウヨ）」に対して「テレビ左翼（テレサヨ）」と呼んでいます。池上彰氏とラサール石井氏の対談は、「豪華テレサヨ対談」とも呼べるわけです。

そしていよいよテレサヨ対談らしい話題に移ります。

〈池上　ラサールさんが安倍晋三元首相の国葬に反対する意見をツイッターで発信すると、これもまた「亡くなった人を悼むことができないのか」といった批判が押し寄せました〉

国葬に反対していた人はラサール氏に限りません。大勢いました。それらの人全員に批判が殺到したとは思えません。ラサール氏のような知名度のある人物に集中したのだと考えられます。批判するのは自由ですよ。政府を批判するのが当たり前なら、ラサール氏を批判する自由だってあるはずです。民主主義国家なんですから。

ツイッターであれば、いやならブロックすることもできますよね。河野太郎さんがやたらにツイッターをブロックすると言われていますが、そうするのも自由です。私も河野さんにブロックされていますし、私自身、この人はヤバイなというアカウントはブロックします。だから、ツイッターで意見を発信して、それに批判が押し寄せること自体は、とくに問題とするにはあたりません。問題はその次です。

〈ラサール　亡くなった方のご冥福をお祈りするのは当然のこと。あのような事件も決して起こってはならない。でも亡くなったからといって、その方が生前にやってきたことが全て帳消しになるわけではありません。まだ解明されていない問題はたくさんある。しかも国会での議論もない。ですから僕は国葬の実施に反対したのです〉

亡くなった方のご冥福をお祈りするのは当然であり、あのような事件も決して起こってはならないという発言を聞いて、ラサール氏を少々見直しました。彼にはまだ良識が残っているようです。漫画家の石坂啓は安倍元総理暗殺の一報を聞いて「でかした！」と絶叫したことを公言していますからね。人間としての良心のかけらもない。

ところが、それから後が意味不明です。生前の行いをすべて帳消しにするために国葬をしたのだとラサール氏は言いたいのでしょうか。国葬をしたからといって、それまでの事績や業績が消えてなくなるわけはない。これは当たり前のことじゃありませんか。

国葬が行われたのは戦後二人目ですが、半世紀前に戦後初の国葬が行われた吉田茂元首相にしても、歴史的な評価はまだ定まっていません。もちろん、敗戦国・日本の再建の道を開いたことを高く評価する人も多い一方、日米安保条約を結んでアメリカに軍事的な負担を負わせ、日本はできる限り軽武装を貫いて経済成長を優先したこと、いわゆる「吉田ドクトリン」を批判する人もいます。私も、あの時、憲法9条は改正しておくべきだったと考える一人です。

まさか、「安倍元総理がやってきたことはすべて悪事で、それを覆い隠すために国葬をしたんだ」と言うつもりではないでしょうが、ラサール氏の口ぶりからすると、そう取れなくもない。だとしたら、それは妄想というものです。国葬したからって生前の行いがすべて帳消しになるなんてあろうはずがない。反対するのは自由ですが、その根拠を明確にしてください。あなたが心配しなくても、安倍元総理のしたことは後世の人が評価します。

自分の能力を棚に上げて

池上氏とラサール氏にかかると、悪いのはすべて、ラサール氏を批判するほうだということになってしまう。

〈池上　フォロワーの読解力が落ちていると？

ラサール　読解力がないというか、そもそも読解していない。一つのツイートを読むだけで直情的に批判するというか。まあただ僕を揶揄（やゆ）したいだけなんですけどね。納得できない意見に反論するなら発信者の過去のツイートを読んだりして論理的にお願いしたい〉

ちょっと待った！　読解力が落ちているって、国葬に反対するラサール氏を批判するフォロワーは、ラサール氏のツイッターの文章を理解できないバカばかりだと言うわけですか。「バカだというヤツのほうがバカだ」なんて言うと小学生のケンカみたいですが、この二人の対話とんでもなく上から目線なんです。ちなみに『政治学者、ユーチューバーになる』（いい本ですよ）にも書きましたが、既存のマスメディアを擁護するあまり、ネットを必要以上に貶める傾向が強いんですよ、池上さんは。

これはオールド・メディアがいかにニュー・メディアを恐れているかの証だと思います。テレビをリアルタイムで観ている人はどんどん減っていますが、私は大学生当時からテレビを観なかった。当時としては非常に珍しいことに、家にテレビがなかったんです。

ある時、友だちに「おまえ、いつも飲んで遊んでばかりいて、いつ勉強しているの」と聞かれたことがあります。どうやって勉強の時間を作っているのかというわけです。私も急に聞かれたので「えっと、いつだろう。わからんなあ」と首を傾げたんですが、ふと思いついて、「そうだ、俺、テレビ見ないんだよ」と答えたんです。友だちもそのときは「珍しいヤツだなあ」と言っていたんですが、彼がある試験を受けることになって、私の言ったことを思い出し、テレビをいっさい観ないで勉強したら受かったということがありました。

テレビって、けっこう時間を食われるんですよ。観すぎると頭も悪くなるしね。それよりも、ユーチューブで興味深い話を聞いたほうがずっと勉強になります。テレビのバラエティ番組を観る暇があったら、ユーチューブで名人の落語を聴いたほうがずっと楽しいですよ。落語ってすごいですよね。ひとりで大勢の登場人物を演じ分けたりして、すごい技術ですよ。

いいなあと思うのは、一人の落語家の芸が円熟して、噺がうまくなっていくところです。若手より老人のほうが輝いているというのはいいですね。若さがものをいうジャンルというのもそれはそれでいいものですが、それだけではどうもよろしくない。若さから成熟に向かっていく過程を楽しむ、老人の円熟した芸を堪能するという文化を大切にする国であってほしいですね。高齢化社会と言われるだけに、年を重ねることによって生まれる良さを大事にしたいものです。

ところで、池上さんはどこかで「最も信頼できるメディアはテレビである」とか言っていましたが、冗談かと思ったら本気なんですね。ネットを介したメディアは信用できないというのはいかにもオールド・メディアにどっぷり浸かっている池上さんならではの見解です。マスメディア関係の人たちは「なんだ、ユーチューブか」っていう態度をとるけど、こちらからすれば「なんだ、テレビか」ってなものですよ。テレビばかり観ているほうが読解力は落ちると思いますね。ちなみに私、ユーチューブをやるようになってからテレビの出演回数が減りました。これほど「右翼」だとは思われていなかったのかもしれませんね。

そしてラサールさん、いよいよとんでもないことを言い出しました。「読解力がないというか、そもそも読解していない」って、どういう意味ですか。読解しないで反論できるのか、文章が書けるのかって話ですよ。「読解力が落ちている」というのが上から目線なら、「読解してない」っていうのは全否定ですね。じゃあ、ラサール氏の意見に反論してくる人は、意味もわからず批判しているってことですか？　あり得ないでしょう。「一つのツイートを読むだけで直情的に批判する」って、そもそもツイートってそういうものです。１４０文字だけで評価されてしまうから、慎重に言葉を選ばなくちゃいけない。１４０字ではうまく言えないから過去のツイートをぜんぶ見ろっていうのは、「上から目線」を通り越して傲慢ですよ。

１４０文字という縛りがあるのがまた、ツイッターの面白いところでもあるんです。日本人ってこういうの好きですよね。五七五の俳句とか三十一（みそひと）文字の和歌みたいに、文字数の縛りの中で自由な表現をするのが。達人になると短い言葉で宇宙の広大さを表したりする。そこに妙があるんです。文章をダラダラ書くんじゃなくて、１４０文字でキュッと引き締まった文章を書くのがツイッターの面白さでもある。その能力がないのを棚に上げて、「おまえらは読解力が皆無なんだから、これまでのツイートをぜんぶ見てからモノを言え」というのはあまりに自分勝手で無茶な要求です。あなたの過去のツイートをすべて読むほど暇な人なんていません。

幻想の国に住む二人

〈**池上**　それにしてもラサールさんのツイートが「炎上」し、ネットニュースになることもあります。

ラサール　僕のツイッターのフォロワーは13万人だったのですが、昨年1月3日にアカウントが乗っ取られてしまい、一気に0になってしまいました。アカウントを設定し直して今は5万8000人にフォローされています。ただ、この何割かがアンチなんじゃないですかね。だから「炎上」なのか「バズってる」（爆発的に話題が広がること）のか分からない（笑い）。

池上　嫌いならばフォローしなければいいのに。

ラサール　アンチも本当は僕のことを好きなんじゃないかって話で（笑い）〉

私のツイッターをフォローしている人の中にも、脱原発大好きと言うようなアンチはけっこう多いんですよ。失礼なコメントがきたらブロックしますけど、ただ見ているだけなら別にかまいません。その人の思想信条を一人一人探り当てる必要もないですしね。

こいつ何を言ってるんだろうって反発するからこそ、内容を知りたくてフォローするってことはありますよね。嫌いならフォローしなければいいなんて単純なものではない。「アンチも本当は僕のこと好きなんじゃないか」ということだって、確かにあるかもしれません。だから僕も、アンチの人に私のツイートを見てもらえれば、それはそれでありがたいことだと思っています。

〈池上　政府を批判する意見を発信していると、テレビ局に呼ばれなくなる？

ラサール　昔のワイドショーならば政府の方針に賛成、反対の立場の人を呼んで意見を戦わせることが多かった。それが4、5年前ぐらいからでしょうか、政府寄りのコメンテーターが一気に増えました。政府に物申す人はいないに等しい。

池上　そうなったのはテレビ局の上層部の意向なのか、それともネットでたたかれたり、抗議されたりすることをスタッフらが避けようとしているのか……〉

この人たち、いったいどこの国に住んでいるのでしょうか。私が理解している日本のテレビ界の状況とはまったく逆のことを言っています。たとえばTBSのなんでしたっけ、『最低モーニング』、いや『サンデーモーニング』とか『報道特集』とか、たまについ観てしまうことがあるんですが、「政府寄りのコメンテーター」なんて出演していた試しがありません。政府を批判する意見を発信している人ばかりがテレビ局に呼ばれているようにみえます。

池上さんとラサールさんって、どういう根拠に基づいて、どんな番組をさしてこんなことを言ってるんでしょうか。4、5年前から政府寄りのコメンテーターが一気に増えたって、そのころはどの局も「モリ、カケ、サクラ」の大合唱で安倍政権を批判しまくっていたじゃありませんか。「あれもこれもすべて安倍のせいだ」、「安倍が悪い」というコメンテーターばかりで、テレビだけ観ていると、安倍総理という人は天下の大悪人で、安倍さんを擁護する人など世界に一人もいないように思えてきたくらいです。

政府の方針に反対の立場の人だけ呼んで好き勝手を言っているワイドショーならいまも昔もいくらでもありますが、賛成・反対両方の立場の人を呼んでじっくり意見を聞いているのは、まあBSフジの『プライムニュース』くらいのものじゃないでしょうか。

池上さんはいつもネットを敵視するような発言をされていますが、ここでは「政府寄りのコメンテーターが増えたのはテレビ局の上層部の意向ではないか」なんてことも言っています。ホントですか、それ。テレビ局の上層部が、「自民党を応援しろ」なんて言うんしょうか。私、初めて聞きました。

「野党を批判するコメンテーターを出演させろ」という上層部の意向があったとしたら、私なんか毎日のようにテレビに出演していなければおかしいでしょう。ほとんど呼ばれていませんよ、私。

漫才コンビのサンドウイッチマンがいたら「ちょっと何言ってるかわからない」とツッコミが入りそうなコメントを繰り返す女性の国際政治学者はよく呼ばれていましたけどね。あ、もう過去の人か。普通に考えればわかるじゃないですか。池上さんもラサールさんもちょっと妄想癖があるとしか思えません。

それからちょっとしたテレビ局批判があった後、こんなやり取りが交わされます。

〈池上　政治的な話題に戻りますが「選挙に出ませんか」と誘われることも多いのでは。「政治の世界の中から改革してほしい」と。

ラサール　打診は正直ありました。色気が出たこともあったのですが、今の年齢を考えますとね。お断りの言葉も考えていまして。「過去にいっぱい悪いことをしているので、一瞬にしてスキャンダルで皆様にご迷惑をお掛けしてしまいます」と（笑い）。今は、20年以上前の出来事まで掘り起こされて、問題になってしまうこともありますから〉

ラサールさんに打診したというのは、きっと立憲、共産党、れいわだと思いますね。ほかにラサールさんを担ごうなんて政党はいないでしょう。自民党？　ないない。ここまでブッ飛んだ人の意見が党の意見だと思われたら迷惑ですからね。いずれにしろ出なくていいですよ。碌なことになりません。

「芸が荒れる」と顔に出る

対談も後半に入り、ラサールさんはこんな発言をしています。

〈ラサール　（略）**僕は今、マイク1本で観客と対話するように笑いを取っていく「スタンダップコメディ」をやっています。コメディアンの清水宏、ぜんじろうらと「日本スタンダップコメディ協会」も設立しました〉**

このぜんじろうっていう名前、どこかで聞いたことがあると思ったら、思い出しましたよ。何かの席で、山本太郎氏に「あれ、やってくださいよ」とか言われて、まだ安倍元総理がご健在の頃でしたが、こんなジョークを披露していました。「森元総理と麻生元総理と安倍総理の乗った飛行機が墜落しました。救われたのは誰でしょう。日本国民です」。

このぜんじろうという人はデリカシーのかけらもない人だと私は思いましたね。不謹慎だというのは笑いの一要素でもあるし、ブラックユーモアだと言うかもしれませんが、芸人としてダメだなと思うのは、これはもう古くからあるネタなんですよ。

ローマ教皇の戦争責任を追及した戯曲、ホーホフートの『神の代理人』（白水社）にも同じようなジョークが出てきます。こんな話です。ヒトラーとゲーリングとヒムラーの３人が同乗していた飛行機が墜落した。一人も助からなかったのかと聞く人に、救われたのはドイツさ、と答えた。

このジョークの人名を変えただけじゃありませんか。これ、プロのやることじゃないでしょう。こういう人と一緒にやっているだけあって、ラサール氏さんのジョークもちょっとズレているとしか思えません。池上氏との対談の中で、こんなネタを紹介しているのですが、皆さん、これ面白いですか。

〈ラサール　亡くなられたので今は控えていますが、安倍晋三政権での出来事はよくネタにしていました。例えば、北朝鮮からのミサイルが発射された時のＪアラート（全国瞬時警報システム）。発射されて時間がたってから頭抱えてしゃがんでも遅いんじゃないかとか、Ｊアラートが発令される前夜、安倍首相は首相公邸に常に泊まっている。「そっちがＪアラートじゃん」とか〉

発射されて時間がたってから頭抱えてしゃがんでも遅いというのはそのとおりですが、安倍首相が首相公邸に常に泊まっているほうがJアラートだって、これのどこが面白いのか。これを面白いと思える人の感覚が全然わかりません。

この後、ラサールさんは演劇論のようなものを語るのですが、もうまったく興味がわきませんでした。ただ、ちょっとだけ興味を引かれたのは、ギャラの話です。

芝居というのは「コストパフォーマンスは悪い」とラサールさんは言います。あまり儲からないというわけですね。そして、こう言っています。

〈僕は仕事ごとの自分のギャラを一切見ません。「あれだけやったのに、これだけしかもらえないの？」と思う自分が嫌で。ですから、ギャラは月のトータルでしか見ません〉

そんなものでしょうかね。私はいちいちギャラをチェックしますすよ。たとえば講演会をやる時に、ギャラはいくらいくらでお願いします、と提示されるわけですが、とにかく安いギャラでお願いしますと言われると、それはちょっとおかしいと反発するんです。これだけ出しますけれど、この額以上に価値のある話をしてくださいという言い方をされたら、私もやる気が出ます。しかし、とにかくできる限り安くやってくださいと言われたら、じゃあ別の人に頼めばいいじゃないかという気持ちになりますよ。

やはり仕事としてやる以上は全力でやるわけですから、そういう仕事はちょっとお引き受けできない。例外として、昔お世話になった方からのご依頼のような場合は無料でやることもありますが、いまはあまりそういうことはしないようにしています。教員もやめましたし、家族を養わなければなりませんから。ただし、私が主催する社団法人日本学術機構が主催する場合は、収入はすべて日本学術機構に渡して、私自身はノーギャラです。まあ交通費だけは出して貰いますけどね。

ギャラというのは資本主義社会の中で生きていく上ではとても大事なことだと思いますよ。だから、ラサールさんのようにギャラをいっさい見ないというのはあまり褒められたことじゃないような気がしますが、池上さんは、こう言ってラサールさんを持ち上げます。

〈池上　あまりにもギャラを気にすると「芸が荒れる」とも言われますよね。

ラサール　効率が良くギャラが稼げる仕事を探して選んでコスパばかりを考えていると芸が荒れるというか、その人の顔つきに出てきます。顔全体に「欲」という字が浮かんでしまう〉

この部分を読んだ時、私は思わず「えーっ！」と声を上げそうになりました。だから、あなたの芸は荒れているんですか、池上さん。

これはある人から聞いた話ですが、人を通じて池上さんに講演を頼んだところ、断られたんだそうです。ギャラが安すぎると言われたらしいんですね。もちろん、提示したのは私の講演料なんかとは比べ物にならない額ですよ。それでも池上さんにしてみたらお話にならないくらい安いんですね。それほど高額のギャラを要求する池上さんの顔には、ラサールさんから見て何も浮かんでいなかったんでしょうか。

自分だけが正しいという思い上がり

そして、ラサールさんは怒りを込めて、こう語ります。

〈ラサール　政治家たる者は、自分を殺して国のため、国民のために生きる、というような姿勢があってしかるべきだ、と考えています。それなのに今や私利私欲のためや、権力を維持するための政治家になっています。「自分たちの共同体を維持するために、国民は犠牲になりなさい」という考え方が、政治の世界で横行している気がして。それに国葬や防衛費増額といった大きな問題は、国会に諮らず閣議決定で決めてしまう〉

「閣議決定で決めてしまう」って、あなたね、防衛費増額については国会で議論しているし、国葬を閣議で決めることに何の問題もありませんよ。だって立法行為がいらないんだから、立法府である国会に諮る必要はない。行政の裁量でできるという解釈の下にいままでもやってきたし、これからもやっていくんですよ。これを専門的な言葉で言うと「侵害留保説」と言います。

まあどうしても法律を作りたければ作っておいてもいいけれど、誰もが納得できる国葬の手続きと基準を定めるのはかなり難しいことだから、私は無理だろうと思います。ですから、これは時の内閣が腹をくくって批判覚悟で決めればいいことです。

申し訳ないけれども、ラサールさんの知識はテレビのコメンテーターから仕入れた程度のレベルです。レベルが低すぎる。俳優やタレントが政治について発言することが悪いと言うつもりはありません。しかし、発言する以上、ラサールさん、思いつきを口にするんじゃなくて、テレビのコメンテーターの受け売りではなく、もう少し詳しく調べてからモノを言ったらどうでしょうか。芸能人の影響力を考えたら、そういう知識人ぶった無責任な発言は社会にとってハタ迷惑でしかありません。だから、芸能人の政治的発言が嫌われるんじゃないでしょうか。

〈ラサール　世の中が悪い方向に行っている中で、自分だけでも叫びながら同じ考えを

持った人と連携できたら。

タモリさんが昨年のテレビ番組「徹子の部屋」（テレビ朝日系）で「来年はどんな年に？」と問われ、「新しい戦前になるんじゃないでしょうか」と答えましたが、今のザワザワとした感じは、そう捉えてもおかしくない。自分の息子が人を殺す、隣の人が死ぬ。戦争はみんな反対するはずなのですが……。

池上　**新たな戦争など起きず、これからも「戦後何年になりました」と言い続ける世界にしないといけませんね。**

ラサール　**そうです。「永遠の戦後」であってほしいです〉**

これ、すごいことを言っていますね。「世の中は悪い方向に行っている、自分だけは正しい、だから声を上げて、賛同する人たちと連携していくのだ」——これ、思い上がり以外の何ものでもありません。世の中が悪い方向に行っていると断定する根拠は何ですか。なぜ自分だけが正しいと言い切れるんでしょうか。その理由がまったく示されない。テロを擁護したり礼賛したりする人たちがいるから悪い方向に進んでいるのか。そういうことをいっさい言っていない。

新しい年は新しい戦前になるんじゃないかと答えていたというタモリさんの発言をわざ

わざ取り上げているところを見ると、世の中は戦争に向かっていると言いたいのかもしれませんが、平和というのは戦争と戦争の間の期間という意味です。だから、平和な時代というのはいつだって、前の戦争の「戦後」であり、次に起こるべき戦争の「戦前」でもある。当り前じゃありませんか。人間の世界に戦争がなかった試しはないんですから。

　タモリさんの言葉を非常に哲学的だと解釈する向きもありますが、それは間違っています。当り前のことをいかにもそれらしく言っただけのギャグを真に受けてはいけません。「永遠の戦後であってほしい」と願ったり叫んだりするのは自由ですが、政治家は願うだけではなく、国のため、国民のためにどうやって1年でも2年でも戦後を延ばすか、それが仕事です。できるだけ戦後を長引かせるというのが安全保障の要諦です。抑止力が大事だと我々が言うのは抑止力があったほうが平和を、戦後を延長できるからです。戦争するために日本の抑止力を強化したほうがいいなんて考えるバカはどこにもいません。

　どこにもいないものを叩こうというのはお話にならない。まさに戦後日本のテレビの悪を凝縮したような池上彰氏と、芸能界の左翼を煮しめたようなラサール石井氏の極左・巨頭会談。名付けてＬＬ（レフトレフト）会議はこれにてお開き。ぜひこれを最後にしてほしいものです。

テレサヨよ、いい加減にしろ！

（2023年1月17日）

岩田 温（いわた　あつし）
1983年生まれ。日本学術機構代表理事。早稲田大学政治経済学部政治学科在学中に『日本人の歴史哲学』（展転社）を出版。早稲田大学大学院政治学研究科修士課程修了。著書に『平和の敵　偽りの立憲主義』（並木書房）、『「リベラル」という病　奇怪すぎる日本型反知性主義』（彩図社）、『政治学者、ユーチューバーになる』（ワック）などがある。

いい加減（かげん）にしろ！

2023年９月１日　初版発行
2023年９月10日　第２刷

著　者　岩田 温

発行者　鈴木 隆一

発行所　ワック株式会社
東京都千代田区五番町４-５　五番町コスモビル　〒102-0076
電話　03-5226-7622
http://web-wac.co.jp/

印刷製本　大日本印刷株式会社

ISBN978-4-89831-886-7